O mistério da Sala Secreta

Lavínia Rocha

O mistério da Sala Secreta

ILUSTRAÇÕES:
Rubem Filho

7ª reimpressão

Yellowfante

Copyright © 2021 Lavínia Rocha
Copyright desta edição © 2021 Editora Yellowfante

Todos os direitos reservados pela Editora Yellowfante. Nenhuma parte desta publicação poderá ser reproduzida, seja por meios mecânicos, eletrônicos, seja via cópia xerográfica, sem a autorização prévia da Editora.

Edição geral
Sonia Junqueira

Revisão
Samira Vilela

Projeto gráfico
Diogo Droschi

Diagramação
Diogo Droschi
Larissa Carvalho Mazzoni

Dados Internacionais de Catalogação na Publicação (CIP)
(Câmara Brasileira do Livro, SP, Brasil)

Rocha, Lavínia
    O mistério da Sala Secreta / Lavínia Rocha ; ilustrações Rubem Filho. -- 1. ed.; 7. reimp. -- Belo Horizonte : Yellowfante, 2025.

    ISBN 978-65-86040-12-8

    1. Ficção - Literatura infantojuvenil 2. Literatura infantojuvenil I. Filho, Rubem. II. Título.

21-54595   CDD-028.5

Índices para catálogo sistemático:
1. Ficção : Literatura infantil   028.5
2. Ficção : Literatura infantojuvenil   028.5

Maria Alice Ferreira - Bibliotecária - CRB-8/7964

A **YELLOWFANTE** É UMA EDITORA DO **GRUPO AUTÊNTICA**

Belo Horizonte
Rua Carlos Turner, 420
Silveira . 31140-520
Belo Horizonte . MG
Tel.: (55 31) 3465 4500

São Paulo
Av. Paulista, 2.073 . Conjunto Nacional
Horsa I . Salas 404-406 . Bela Vista
01311-940 . São Paulo . SP
Tel.: (55 11) 3034 4468

www.editorayellowfante.com.br
SAC: atendimentoleitor@grupoautentica.com.br

Para todos os que, como diria bell hooks, ensinam a transgredir e lutam por uma educação como prática de liberdade. E para todos os que ousam apontar falhas nas memórias: o mundo também é nosso!

CAPÍTULO 1

Júlia

ESTARIA MENTINDO se dissesse que sempre adorei minha escola. Pelo contrário. Várias vezes desejei uma queda de energia ou qualquer outro problema técnico que fizesse com que o diretor suspendesse as aulas... Não me leve a mal, sou uma aluna esforçada e tiro boas notas, mas minha cama sempre pareceu bem mais confortável do que as cadeiras duras da escola, e meus sonhos, bem mais divertidos do que as aulas. Por isso, perdi a conta de quantas vezes bufei de preguiça ao ver a placa enorme com os dizeres "Bem-vindos à Escola Municipal Maria Quitéria de Jesus".

Bem-vindos? Não era assim que eu me sentia ao ver a cara rabugenta do diretor Humberto logo na entrada. Uma vez, ele me perguntou se não tinha pente na minha casa, acredita? Que ridículo! Quis responder que meus cabelos crespos eram livres e que ele passasse um pente no próprio cabelo, se fazia assim tanta questão. Mas a verdade é que não tive coragem, e depois disso comecei a evitar qualquer contato visual com o diretor.

Minha rotina era sempre a mesma: ultrapassava as barreiras do portão azul, dava uma olhadinha na placa e apertava o passo para a sala antes que Humberto pudesse fazer qualquer comentário.

Nas últimas semanas, porém, o clima estava diferente. Havíamos recebido a notícia de que a escola seria fechada. Sim! Fechada! No ano que vem não teria mais portão azul, nem placa de boas-vindas, nem campeonato de futebol no recreio, nem clube de leitura terça-feira depois da aula. Seria o fim da escola Maria Quitéria!

– Dá pra acreditar que o motivo que eles deram pra fechar foi "falta de alunos"? – perguntei ao Gabriel, meu melhor amigo, enquanto olhava aquela multidão de alunos na quadra de esportes organizando a feira de História.

– Isso é um absurdo! – Ele levou uma mão ao cabelo *black power* e ergueu as sobrancelhas. – Não faz o menor sentido, Júli.

Gabriel tinha quase a minha altura; sua pele era negra, um pouquinho mais escura do que a minha, e era um dos garotos mais legais que eu conhecia. Éramos amigos há muitos anos. Ele era viciado em poesia, e eu achava muito culto um menino do 7º ano ler tantos poemas. Gabriel também era engraçado, mas só com quem tinha intimidade, porque para o resto do mundo ele era bem tímido. Por causa dele, ganhei o apelido menos econômico de "Júlia" que já tinha visto, mas que eu achava bem legal, embora tivesse apenas uma letra a menos que meu nome completo.

– Vocês trouxeram os cartazes? – Adriana, a professora de História, se aproximou ofegante.

– Aqui! – Mostrei o meu a ela, e Gabriel fez o mesmo.

– Ótimo! Então já podem ir em direção à tenda da turma de vocês, ok? Não é pra visitar as outras tendas de uma vez só, vão se revezando em grupos. Por favor, avisem isso a todos! E não se esqueçam de falar alto e devagar! – Adriana soltava as palavras com tanta pressa que acabou me deixando atordoada também.

A feira de História acontecia todo ano, mas aquela seria diferente: o tema era a própria escola. Tinha uma turma responsável por pesquisar casos engraçados, outra que organizou uma exposição de fotos desde a inauguração, uma terceira que buscou curiosidades... A minha turma ficou responsável por pesquisar a vida de Maria Quitéria de Jesus, a mulher que dava nome à escola.

Essas feiras sempre foram especiais para mim, mas eu estava tão chateada com a notícia do fechamento que, sendo bem sincera, não me esforcei dessa vez. Tudo o que sabia era que Maria Quitéria tinha nascido no fim do século XVIII e era baiana. Fiz um desenho que incluía o mapa da Bahia e esperava, do fundo do coração, que bastasse para compor a tenda da minha turma.

CAPÍTULO 2

Gabriel

FIM. Uma palavra de três letras que resumia bem o sentimento de todos naquele evento. Os alunos iam de um lado a outro, tentando deixar a feira de História a mais bonita possível. Corria um boato de que se a feira fosse brilhante, a prefeitura desistiria de fechar a escola. Se era real, não sei, mas o esforço de todo mundo era visível.

Na verdade, nem de todo mundo... Júli, por exemplo, estava cabisbaixa, sem dar muito papo para ninguém, o que era definitivamente estranho. Até seu cabelo estava mais baixinho, sem muito volume e com anéis crespos menos marcantes, como se acompanhasse o humor da dona.

Decidi propor a ela uma volta pela feira, afinal, a professora disse que poderíamos nos revezar de seis em seis.

— Preguiça... — disse ela, e suspirou, fechando os olhos. — Se bem que talvez seja menos chato do que ficar aqui fingindo que pesquisei a vida da mulher da escola. Topo.

Ela se levantou de repente e foi avisar a Ana, nossa colega e representante de turma, que íamos sair.

— Aonde vamos primeiro? — Olhei para todas as tendas espalhadas pelo pátio, sem saber por onde começar.

— Parece que a 803 trouxe umas fotos de décadas atrás, porque os pais da Fernanda Lopes estudaram aqui. Legal, né? Eles se conheceram na escola e se casaram depois. – Ela sorriu, apontando para uma tenda.

– Sério? Quero ver!

– Também ouvi falar que tem uma foto da dona Vicentina com vinte e poucos anos, quando ela começou a trabalhar aqui.

– Ah, para! – Bati a mão na perna, surpreso. – Não consigo imaginar a dona Vicentina nova...

– Então vamos lá ver! – Ela começou a andar, mas parou de repente quando viu um cartaz da turma 701. – Eles estão dando balas!

Júli apontou para a tenda, e eu li no cartaz que a turma tinha trazido curiosidades sobre a escola. Algumas eram falsas, e outras, verdadeiras. Quem acertasse ganharia um saquinho cheio de balas! Nada mal já ganhar doce assim, logo no primeiro horário.

Seguimos na direção da 701, mas, quando passamos pela 901, foi impossível não parar.

– Nós vamos contar a maior lenda da Escola Municipal Maria Quitéria de Jesus! – um dos alunos gritou enquanto outro distribuía panfletos.

– Lenda? – Minha amiga se aproximou, pegando o papel.

Aproveitei para ler por cima do ombro dela: "Você conhece a Sala Secreta? Não? Então, prepare-se!".

– Sala Secreta? Aqui? Ah, tá bom... – bufei, erguendo os ombros.

– Agora eu quero saber – disse Júli, mordendo os lábios.

– Ah, Júlia, não é possível... Esses meninos mais velhos estão tentando zoar a gente!

– Você tá com medo? – Ela colocou a mão na cintura e estreitou os olhos.

– Claro que não!
– Então vamos ouvir.

Suspirei, pensando nas balas e no quanto seria mais legal ver a foto da dona Vicentina, mas acabei concordando.

– Tudo bem, mas assim que terminar aqui nós vamos ver as fotos!

Júli me deu uma piscadinha como quem sela um acordo e depois se aproximou dos alunos da turma para ouvir a lenda. Seus olhos brilhavam, e o sorrisinho de lado denunciava suas expectativas. Júli era curiosa e gostava de uma boa história.

– Alguém já entrou na porta vermelha depois do corredor da biblioteca? – uma aluna gritou de repente, quando uma música tenebrosa começou a tocar. Ela usava uma roupa preta de TNT que combinava com a decoração da tenda. Tudo ali parecia uma tentativa de imitar o clima do Dia das Bruxas. Até teia de aranha tinham dado um jeito de pendurar!

– Eles realmente se empenharam – comentei baixinho, mas só consegui um sonoro "shhh" em resposta.

– Alguém pelo menos já *viu* aquela porta aberta? – outro aluno perguntou, a música de fundo se tornando mais urgente, aumentando o suspense.

Júli tombou um pouco a cabeça e pareceu refletir sobre as dúvidas que a 901 jogava para nós. Será que ela estava mesmo levando a sério aquela brincadeira? Era óbvio que eles tinham inventado tudo para fazer um trabalho legal. Provavelmente a porta vermelha só estava emperrada, ou era uma espécie de arquivo morto. Afinal, toda escola precisa de um espaço para guardar documentos antigos, não é mesmo?

– Pois saibam que é a porta vermelha que dá acesso à Sala Secreta da escola!

– E o que tem lá? – um garoto perguntou.

– Ninguém sabe! – Outro estrondo da música ressoou, e eu dei um passo para trás, de susto. – Reza a lenda... – A garota com roupa de TNT deixou as reticências no ar enquanto encarava cada um dos alunos que a ouviam. Sua sobrancelha direita estava erguida, e os lábios, bem cerrados.

– Caramba, eles devem fazer teatro – cochichei de novo para Júli, que se aproximou mais do pessoal sem nem se dar ao trabalho de me responder. Ela estava mesmo interessada.

– ...que só conseguem sair da Sala Secreta aqueles que são verdadeiramente *corajosos* e *merecedores*, como Maria Quitéria. O resto? Fica preso eternamente!

Júli virou o rosto para mim: o queixo caído e as sobrancelhas levantadas dispensavam explicações. Era provavelmente a mesma expressão que eu fazia ao encontrar a rima perfeita para um poema. No caso dela, era quando encontrava a encrenca perfeita para se meter.

CAPÍTULO 3

Júlia

FAZIA ALGUNS ANOS que eu não acreditava em Papai Noel ou Coelhinho da Páscoa. Já estava no 7º ano, não era mais uma criança, então também não acreditava em toda aquela encenação da 901.

Sala Secreta só para os corajosos? Me poupe.

No entanto, o que eles haviam dito sobre a porta vermelha era real. Quem já tinha entrado lá? Ou conhecido alguém que tivesse? Por que a porta vermelha estava sempre trancada? Eu precisava descobrir! No piloto automático, segui Gabriel até a próxima tenda. Meu corpo até podia estar na feira de História, mas minha cabeça só conseguia pensar na porta vermelha.

– Olha, Júli!

Ele apontou para uma foto, e finalmente consegui desviar minha atenção. Era dona Vicentina muito, *muito* jovem.

– Chocada! – falei, observando seus cabelos lisos, em coque, como sempre, e sua pele clara, sem as marcas da velhice que eu já estava tão acostumada a ver. – O chaveiro continua o mesmo.

Dona Vicentina cuidava das chaves da escola e, por isso, tinha uma argola em torno do punho com todas elas. Sempre que precisavam usar o auditório ou a sala de vídeo, os professores soltavam a clássica "Chama a dona Vicentina!".

Abaixo da foto, uma homenagem com os dizeres: "Há mais de 40 anos abrindo as portas do conhecimento".

– Que lindo – comentei com Gabriel. – Ela também deve estar bastante chateada com o fechamento da escola.

– Sem dúvida... Imagina quanta coisa ela não viveu dentro desses portões azuis.

– Acho que, tirando o chato do diretor Humberto, tá todo mundo mal com isso.

– Pois é! Até o pessoal do 9º ano, que já ia sair do Maria Quitéria no ano que vem! – Ele apontou para as tendas dos alunos mais velhos. – Só mesmo o Humberto que não tá ligando... Cara frio.

Concordei com a cabeça enquanto olhava mais fotos antigas. A turma tinha conseguido bastante coisa, e algumas eram tão velhas que eu custava a reconhecer qual era a parte da escola retratada.

Uma imagem, porém, saltava aos olhos. Nela, um grupo fazia poses engraçadas encostado a uma parede e, no fundo, havia uma porta, tão fechada quanto sempre esteve. Não demorei para reconhecer o local, apesar de a tinta ter uma aparência de bem mais nova. Era a porta vermelha.

– Gabriel. – Puxei meu amigo. – Nós precisamos descobrir o que tem lá dentro.

– Ah, meu Deus. – Ele passou a mão pelo cabelo *black power* e suspirou. – Não é possível que você acredite mesmo na lenda que a 901 inventou.

– Eu sei que eles se empolgaram com todo aquele cenário e aquela música, mas uma coisa é verdade: ninguém sabe o que tem lá dentro! Sim, pode ser só um depósito de material de construção ou de produtos de limpeza... mas preciso tirar essa pulga de trás da orelha!

— Você tem cada uma... — Ele balançou a cabeça, mas eu sabia que iria entrar nessa comigo. — Mas que tal tentarmos conseguir aquele pacote de balas agora?

Meu amigo esfregou as mãos, animado, e eu não pude dizer não.

Havia sido bom olhar as fotos antigas e descobrir algumas curiosidades, como há quanto tempo dona Vicentina trabalhava no Maria Quitéria, mas ainda não foi o suficiente para ganharmos.

— Ah, foi quase... — Gabriel ergueu os ombros enquanto abria a balinha de maçã verde que ganhamos como prêmio de consolação.

— Como eu ia saber que a escola não tinha biblioteca nos primeiros dez anos? — Cruzei os braços, revoltada com a resposta da pergunta que erramos. — Não consigo nem imaginar isso: sem clube de leitura na terça-feira, sem pufe pra deitar enquanto lemos uma revistinha, sem lugar pra ficar quando chegamos mais cedo ou precisamos nos reunir com um grupo de trabalho...

— Eu não sei o que seria de mim sem os livros de poesia que a Terezinha sempre me recomenda.

— Finalmente vocês voltaram! — exclamou Ana, a representante de turma. — Precisamos nos revezar, ou não vai dar pra todos verem a feira!

Ela gesticulava de um lado para o outro enquanto tentava consertar os cartazes já perfeitamente alinhados.

— Tá tudo bem, Ana. — Coloquei a mão em seu ombro, tentando transmitir tranquilidade. — Nossa tenda tá linda!

— É verdade. — Ela soltou o ar e relaxou. — Vocês podem ficar responsáveis por contar a história de Maria Quitéria aos visitantes, agora? O Bruno vai fazer as perguntas ao final, e quem tiver prestado atenção e responder tudo certo ganha um chocolate.

Ops. Como é que eu ia contar uma história sobre a qual não sabia nada?

— Claro! — respondi por impulso, para não deixar a Ana ainda mais preocupada. — Mas primeiro me mostra como vocês estão contando as histórias, por onde começam, essas coisas. Pra gente fazer igual.

Apontei para mim e para o Gabriel, que, ao contrário do que a Ana esperava, também não era nenhum *expert* na vida de Maria Quitéria.

— Boa ideia — disse ela, arranhando a garganta como se estivesse se preparando para um discurso. — Pessoal, vamos repassar a apresentação com a Júlia e o Gabriel antes de revezarmos as visitas.

Mais dois colegas se juntaram a nós.

— Maria Quitéria de Jesus nasceu na Bahia, no final do século XVIII. — Ana fez uma cara séria, como se fosse a âncora de um jornal, então voltou ao normal e me olhou. — Aqui você pode mostrar seu cartaz com o mapa, que ficou ótimo, por sinal!

— Obrigada! — Sorri ao ver que eu tinha feito algo de útil pela turma; não estava orgulhosa do meu desleixo com a feira de História.

— Nasceu em uma época em que os preconceitos eram ainda mais fortes do que hoje, e às mulheres cabia cuidar das tarefas domésticas e obedecer ao pai ou ao marido.

— NO ENTANTO — João gritou de repente, e eu me assustei. — Desculpa, gente, mas tem que quebrar as expectativas do público — ele explicou, e os três riram. — A Ana começa séria, como se fosse apresentar um trabalho chato e monótono, e depois eu entro com uma entonação mais misteriosa.

– Anotado!

Sorri ao entender a proposta, que me lembrou a da tenda da 901: eu mal conseguia desviar os olhos enquanto eles contavam, por causa do cenário legal, do efeito sonoro, da interpretação dos alunos e, é claro, da história, que aguçou bastante a minha curiosidade.

– Voltando ao roteiro... – ele retomou. – NO ENTANTO, no dia 7 de setembro de 1822, Dom Pedro I proclamou a Independência do Brasil.

– INDEPENDÊNCIA OU MORTE! – Ana gritou bem alto, e alguns alunos que passavam em frente à nossa tenda decidiram entrar para ver o que estava acontecendo. Pelo visto, a estratégia deles era boa.

– Mas vocês acham que Portugal aceitaria perder sua colônia assim tão fácil? – Letícia, a terceira colega da apresentação, lançou a pergunta. – Na-na-ni-na-não! – Ela balançava o dedo indicador enquanto andava de um lado para o outro. – Então, mensageiros foram enviados pra tentar conseguir dinheiro ou homens dispostos a lutar contra as tropas portuguesas.

– E eis que os mensageiros chegam à fazenda onde mora Maria Quitéria! – João gritou de novo, mas dessa vez eu já estava preparada.

Ele colocou um bigode falso e semicerrou os olhos.

– Papai, por favor, eu gostaria de servir à Pátria e lutar na guerra! – Ana disse a João, movendo as mãos como se segurasse as barras de um vestido.

– De jeito nenhum, Maria Quitéria! – ele engrossou a voz enquanto alisava o bigode falso. Todos riram da encenação, e foi aí que percebi como a tenda tinha enchido ainda mais. – Lugar de mulher não é na guerra, e sim em casa, cuidando da família e do lar!

– Mesmo sem concordar com as palavras do pai, Maria Quitéria decide não questioná-lo. – Letícia se colocou na frente dos outros personagens, que haviam congelado seus movimentos, como na cena final de um capítulo de novela. – Então, guiada pelo sentimento patriótico, ela pede ajuda à irmã, Teresa, que lhe empresta as roupas do marido.

– Mas não apenas as roupas! – Ana saiu da personagem e voltou a narrar a história, tomando o cuidado de olhar para todos da plateia e gesticular bastante. – Nossa heroína também utiliza o sobrenome do cunhado para se alistar no Batalhão. E assim, com o cabelo cortado e roupas consideradas masculinas, passa a ser conhecida como soldado Medeiros.

– Uma decisão ousada em um período ainda mais complicado para as mulheres – Letícia lembrou.

Uau! Como eu nunca soube daquilo?

Nossa professora de História sempre dizia que era importante tentar não julgar o passado segundo nossa forma de ver o mundo. Por isso, tentei imaginar o que significava uma mulher nascida no final do século XVIII fugir de casa, se passar por homem e lutar nas guerras de independência... Um feito e tanto.

– Mas como nem tudo sai como a gente quer, Maria Quitéria foi descoberta pelo pai! – João falou sério, e Letícia e Ana colocaram a mão na boca, boca, assustadas, o que fez a plateia reagir da mesma forma. – Ele *exigiu* a retirada da filha!

João colocou o bigode de novo e começou a puxar a Ana, que resistia.

– Maria Quitéria, então, insistiu com os superiores para que interferissem a seu favor e a deixassem ficar. Será que ela conseguiu? – Letícia lançou a pergunta à plateia.

Houve um burburinho, mas o público não chegou a um consenso.

— Não só conseguiu como ganhou respeito e honra por sua bravura nos campos de batalha. Sem precisar mais usar as fardas masculinas, adotou o saiote verde que se tornou sua marca registrada — João completou.

— Mas se engana quem pensa que Maria Quitéria ficava sempre atrás nas batalhas, ou que cuidava apenas das tarefas mais leves. Ela atuava na linha de frente e era muito boa no que fazia! — Letícia bateu palmas, e o público, que se abarrotava na tenda para ouvir o trio, a acompanhou.

Por um instante, pensei que a história tinha acabado, mas João surgiu de novo com suas frases de efeito.

— DEPOIS DE GRANDE DESTAQUE... — ele gritou, erguendo o braço com o dedo indicador em riste. Percebi que Letícia, mais ao fundo, amarrava o cabelo e colocava um bigode, o que me deixou animada para a próxima cena. — Maria Quitéria segue para a capital da época, o Rio de Janeiro, para conhecer...?

João fez mistério e olhou para os alunos, aguardando uma resposta.

— Dom Pedro II — um menino mais novo gritou.

— Não. — Ele balançou a cabeça. — Dom Pedro II ainda não tinha nascido. Era o pai dele, Dom Pedro I. E ela recebe, do próprio Imperador, uma medalha de Cavaleiro da Ordem Imperial do Cruzeiro, que só era entregue a grandes personalidades ou heróis.

— Muito obrigado por seus serviços militares prestados à Pátria! — Letícia forçou uma voz grossa para interpretar Dom Pedro I, e todo mundo adorou.

— Obrigada, Sua Majestade — disse Ana com uma reverência. — Posso lhe fazer um pedido?

— É claro!

— Peço que escreva ao meu pai pedindo que me perdoe pela desobediência. — Ana tinha as duas mãos unidas, como quem implora, e Letícia fingiu pegar um papel e redigir a carta.

— Enquanto isso, a imprensa do Rio de Janeiro cobria a visita da primeira mulher brasileira a integrar uma unidade militar no país, e muitos foram às ruas para conhecer nossa heroína — João continuou, e Ana começou a desfilar e a dar tchauzinhos para a plateia. — Vocês são os cariocas!

João apontou para o público e ergueu uma placa com os dizeres: "Cariocas gritam: Maria Quitéria, Maria Quitéria!".

Ninguém pensou duas vezes antes de seguir a placa, e, quando olhei para trás, tinha gente até do lado de fora da tenda tentando ver a apresentação.

— NO ENTANTO... — João gritou de novo, dessa vez não para assustar as pessoas, mas para conseguir a atenção de volta. — Embora tenha conquistado honras e reconhecimento, não demorou muito até Maria Quitéria cair no esquecimento entre os brasileiros.

— Casou-se com o amor da sua juventude, com quem teve uma filha, e seguiu uma vida comum de civil. Anos depois, acabou sendo prejudicada no testamento de seu pai, além de ter enfrentado problemas de saúde que a deixaram cega.

O público, que momentos antes vibrava pelas conquistas da mulher, sofreu um golpe com o rumo que a história tinha tomado.

— Morreu na Bahia, pobre de recursos, viúva e quase esquecida.

Encarei a plateia, que, assim como eu, estava de queixo caído. Esperávamos um final cheio de glórias, até porque, como o trio havia dito, ela era boa no que fazia e ganhou até uma medalha do próprio Dom Pedro!

— Somente décadas depois, começaram a questionar a falta de reconhecimento da nossa heroína na História. Teve início, então, um processo para lhe fazer justiça: seu retrato foi colocado em locais de relevância, ela ganhou uma estátua, virou nome de avenida e até de escola, como a nossa!

— Mas ainda se fala pouco de Maria Quitéria, e muitos nunca ouviram seu nome...

— O objetivo desse trabalho é manter viva a memória de Maria Quitéria de Jesus, uma grande heroína brasileira! — Ana encerrou, e os três se curvaram em agradecimento.

Todos aplaudiram a apresentação, e eu fiquei tentando absorver o que tinha ouvido. Poxa, uma mulher lutando na guerra no século XIX! Uma verdadeira heroína sobre a qual não ouvíamos falar nas aulas!

O pior era perceber que o fechamento da Escola Municipal Maria Quitéria de Jesus tinha acabado de ganhar um peso ainda maior. A escola era uma homenagem a uma mulher incrível, que custou a receber algum reconhecimento, e acabaria assim?

Decidi que precisava fazer algo. Nossa escola não podia ser fechada!

CAPÍTULO 4

Gabriel

O FECHAMENTO DA ESCOLA parecia uma decisão sem retorno, e vó Lúcia estava preocupada com o meu futuro. Maria Quitéria era a única escola boa da região, e ela tinha demorado muito para conseguir minha vaga.

— Andei perguntando ao pessoal, e me disseram que tem duas escolas boas no centro. Fui nas duas ontem, as moças da secretaria prometeram que vão tentar a vaga.

Vovó passou a mão pelos cabelos crespos e brancos enquanto eu tomava café da manhã.

Encarei as marcas de expressão em sua pele negra e suspirei. Não queria ser mais um peso em sua vida, mas não havia nada que eu pudesse fazer para tranquilizá-la. Quando o assunto era a minha educação, vovó se mostrava a pessoa mais rigorosa que já conheci. Ela queria a melhor escola para mim, e exigia excelentes notas também.

Já ouvi muito que menino criado por vó fica mimado, mas acho que quem falou isso não conhecia vó Lúcia. Talvez minha mãe tivesse me dado mais colher de chá, ou até meu pai – e olha que eu nem sei quem ele é –, mas certamente ninguém vence vó Lúcia numa competição de rigor. Ela não faz jus, de modo nenhum, a essa teoria da criação pela avó.

Tenho certeza de que o dia em que eu entrar numa faculdade só não vai ser o dia mais feliz de sua vida porque ela vai guardar esse posto para quando eu mostrar o diploma.

– São muito longe daqui? – perguntei, sem conseguir esconder a tristeza que aquele assunto me trazia.

– Ah, meu filho, são um pouco, sim. Pra qualquer uma você vai precisar de um metrô e um ônibus. Mas vai valer a pena, você não acha?

– Claro... – Não era como se eu tivesse outra escolha. Podia imaginar vó Lúcia indo atrás das escolas e insistindo muito para conseguir uma vaga para mim. – Preciso ir agora, vó.

Peguei mais um pão de queijo e dei um beijo em sua bochecha.

– Estude muito, hein! Quero levar um boletim exemplar pra escola nova. Sei que eles não vão negar uma vaga pra um aluno como você, Gabel. – Ela sorriu e eu concordei.

"Gabel" era o apelido que vó Lúcia tinha me dado, e minha teoria era que, de tanto falar rápido meu nome, decidiu cortar umas letras e simplificar. Eu gostava, tinha som de vó.

———

Durante toda a manhã, fiquei refletindo sobre como a conversa com minha avó tornava tudo real demais. Ela já estava me encaminhando para uma nova escola. Não havia saída.

E eu não era o único a sentir essa angústia. O cenário do Maria Quitéria estava se tornando cada dia mais parecido com o das poesias melancólicas que a professora nos fazia estudar em sala. Tudo parecia conspirar para esse sentimento: as chuvas de novembro, os cartazes que pregamos na porta da escola (que foram levados pela água) e até o abaixo-assinado que a Júli organizou (que foi completamente ignorado por Humberto).

— Sinto que não estamos fazendo nada para impedir que as coisas aconteçam! — Júli andava de um lado a outro na hora do recreio, na frente da cantina. — Maria Quitéria passou por cima das tradições de seu tempo, das ordens de seu pai, lutou na guerra... e nós vamos permitir que a escola que carrega seu nome seja fechada assim?

Ela se virou para me encarar. Eu admirava muito esse seu senso de justiça: Júli não aceitava as situações sem antes fazer tudo o que estivesse ao seu alcance.

— Outro dia, escutei a Sara falando pro João que já sabe pra qual escola vai. Isso é um absurdo! As pessoas estão entregando os pontos, Gabriel. Não é hora procurar uma nova escola, é hora de lutar pro Maria Quitéria não fechar! — Júli movia os braços de maneira afetada, subindo o tom de voz a cada frase.

Engoli seco, pensando na conversa que havia tido com vó Lúcia mais cedo. Eu também estava encaminhado para uma escola nova, e, considerando a braveza de Júli, isso era algo que não poderia lhe contar.

— As pessoas só estão preocupadas, Júli. É muita gente que vai ficar sem escola de uma hora pra outra.

— Olha aí! Você já tá falando como um derrotado! — ela apontou. — Nós precisamos de estratégias novas, não de aceitar que acabou e pronto.

Eu vivia um sentimento duplo. Por um lado, entendia perfeitamente a insegurança de vó Lúcia e os esforços que estava fazendo para conseguir a vaga em uma escola concorrida. Por outro, Júli estava com sangue nos olhos para impedir que a melhor escola da região se acabasse.

Odiava me sentir inútil, queria muito ter uma ideia genial que pudesse nos tirar daquela situação. Era estranho pensar que algumas semanas atrás nem fazíamos ideia da tempestade que cairia sobre nossas cabeças. Em agosto, reclamamos até não poder mais de ter que voltar às aulas, mas agora não haveria mais retorno de férias: no ano seguinte, ninguém seria mais aluno da Escola Municipal Maria Quitéria de Jesus.

Júli seguiu com seu discurso de luta, mas, de repente, algo atraiu sua atenção, e tentei localizar o que era. Tudo o que vi foram os alunos da 901 que haviam contado aquela história da Sala Secreta na feira. O trio nos encarava de uma forma diferente, mas quando se deram conta de que eu tinha percebido, tentaram disfarçar.

— Sabe o que eu estava pensando, Gabriel? — Ela deu um sorrisinho malicioso, e fiquei curioso para saber que ideia tinha sido responsável por mudar seu humor tão rápido. Sua cabeça começou a se mover até que seus olhos encontraram os meus, mas Júli não continuou a falar, então a incentivei com as mãos. — A gente devia... descobrir o que tem na Sala Secreta.

— Ai, não! — Coloquei a mão na testa quando as palavras fizeram sentido. — Não é possível que ainda não tenha esquecido isso.

— Não, é sério! — Ela puxou meu braço e me obrigou a encará-la. — Lembra quando éramos mais novos e ficávamos brincando de espiões?

Ela cutucou minha barriga, e eu me encolhi com a cosquinha.

— Juliel — falamos juntos, caindo na risada.

No 2º ano, decidimos que éramos a dupla imbatível do Maria Quitéria. Inventávamos missões especiais e salvávamos o dia derrotando vilões. O nome "Juliel" vinha da junção de Júlia e Gabriel.

— Lembra como nossos uniformes ficavam sujos de tanto rolar nesse pátio? – apontei para o chão cheio de folhas que caíam das árvores logo acima das nossas cabeças.

— A gente achava que pra ser espião tinha que andar quase rastejando. – Ela colocou a mão na boca enquanto ria.

— Bons tempos...

— Que estão prestes a voltar! – Júli se levantou rápido, ficou de frente para mim, dobrou um pouco os joelhos e abriu os braços, como se fosse uma apresentadora de circo. – Chegou a hora de mais uma aventura Juliel!

— Não temos mais 7 anos, Júlia.

— Por isso mesmo essa aventura vai ser um pouco mais complicada... – ela ergueu as sobrancelhas algumas vezes, tentando me incentivar. – Vamos, Gabriel! É coisa simples, coisa rápida. Damos um jeito de entrar na sala, vemos o que tem lá e pronto!

— E qual jeito seria esse?

Júlia olhou para o lado enquanto refletia.

— Vamos investigar.

Ela gesticulou para que eu a seguisse e foi em direção à sala depois do corredor da biblioteca sem nem olhar para trás. Júli sabia que eu acabaria indo atrás dela, e só fui porque precisava tirar aquela ideia extravagante de sua cabeça. Ao contrário da minha amiga, eu não era uma pessoa muito inclinada a encrencas.

Peguei meu prato de macarronada, a merenda do dia, e fui comendo enquanto a seguia. Não pude deixar de observar que o trio da 901 voltara novamente sua atenção para nós, mas resolvi deixar aquilo de lado.

— Espera! – pedi.

Tentei fazer o possível para alargar meus passos, embora não desse para ser muito eficiente segurando um prato de comida. Atravessei o pátio, mas quando passei pela porta da biblioteca, Terezinha me chamou.

— Você vai adorar as novidades! — ela disse, animada. Permaneci do lado de fora, já que não podia levar comida para dentro da biblioteca.

Olhando para o lado, percebi que Júli já atravessava o corredor em direção à sala. Eu não podia segui-la e deixar Terezinha falando sozinha.

— É mesmo? — perguntei, tentando chamar a atenção da minha amiga, que seguia seu caminho, obstinada.

Balancei a cabeça, desistindo, e me voltei para a bibliotecária.

— Chegaram livros de poesia da Conceição Evaristo e da Elisa Lucinda!

Terezinha conseguiu minha atenção total; livros novos de poesia me faziam vibrar! Dei um passo rápido para entrar na biblioteca, mas parei quando olhei de novo para o prato. *Que saco!*

— Primeiro come, depois entra aqui! — ela ralhou. — Pode vir no horário da saída que eu vou reservar os dois pra você.

— Obrigada, Tê! — Soprei um beijo para ela, que riu enquanto balançava a cabeça.

Me despedi de Terezinha e corri para encontrar Júli. Quando me deparei com a famigerada porta vermelha, vi minha amiga com as mãos na cintura e os olhos semicerrados, estudando cada centímetro da porta. A única informação perceptível era o número 7 em uma placa. Júli grudou a orelha na porta, depois tentou girar a maçaneta e empurrar, sem sucesso.

— Será que tem outro jeito de entrar? — Ela andou mais um pouco ao redor da porta, até que vimos uma janela antiga ao lado, no corredor.

Júli tentou fazê-la ceder, mas, apesar do barulho, não funcionou.

Chequei se havia alguém por perto. Imagina se o diretor Humberto nos visse tentando entrar na sala! O que iríamos dizer? Que estávamos ali por causa de uma lenda contada na feira de História? Ele não só riria da nossa cara como daria um belo de um sermão.

— Se eu pelo menos conseguisse ver alguma coisa... — Júli lamentou. — Ia matar minha curiosidade.

Espiei a janela também, na esperança de encontrar qualquer buraquinho pelo qual Júli pudesse enxergar o interior da sala. A ideia de resolver aquilo sem nos meter em problemas era tentadora.

— Olha... — falei ao passar a mão por uma parte da janela, tirando a

sujeira do vidro. Parecia que do outro lado havia um armário ou alguma coisa grande que tampava a visão, mas tinha um pedacinho que permitia ver uma pequena parte da sala. – São... livros?

Júli veio ávida para tentar identificar os objetos, mas o campo de visão que aquele espacinho oferecia não era lá grande coisa.

– Hmmm... parecem mesmo livros. – Ela fechou o olho direito, observou, depois tampou o esquerdo, semicerrou os dois, olhou mais de longe, voltou a se aproximar. – Não dá pra ter certeza, mas... imagina se é um acervo enorme de livros! Um acervo secreto com edições antigas e livros autografados por autores famosos!

A imaginação e a criatividade da Júli eram surpreendentes, mas ter consciência disso não me impediu de entrar na onda dela. Tudo bem que poderia ser só um acervo de livros usados, rasgados, às vezes até mesmo os didáticos dos anos anteriores, mas... e se...

E se a tal da "Sala Secreta" fosse mesmo um "Acervo Secreto"? Quantos poemas não estariam ali apenas aguardando meus olhos para serem apreciados?

– Talvez a gente possa dar uma entradinha e descobrir... – falei por impulso.

– Ah, agora o senhor ficou animadinho? – Júli sorria, enrolando um de seus cachos crespos no dedo.

No alto de sua cabeça, havia uma flor amarela de tecido que eu tinha dado de presente em seu último aniversário. Um dia, vimos uma foto de vários modelos negros usando adereços e roupas amarelas e percebemos o quanto aquela cor valorizava, também, a cor da nossa pele. Daí em diante, sempre nos presenteávamos com algo amarelo. No ano passado ela havia me dado uma blusa do Bob Esponja, porque também sabia como eu gostava do desenho.

— Não... — tossi, tentando disfarçar. — É só entrar, ver e tchau, certo?

— Exato! — ela bateu palmas.

— Então não custa nada... Somos Juliel ou não?

— É muito fácil comprar você. — Ela jogou a cabeça para trás e gargalhou. — É só colocar livros na jogada.

— Deixa de ser boba! — Tentei ficar sério, mas não aguentei segurar uma risadinha. — Vamos logo bolar um plano pra entrar.

Júli colocou o dedo na bochecha enquanto encarava mais uma vez a porta vermelha, que continuava tão trancada quanto antes. Olhei ao redor, tentando encontrar algo que facilitasse nossa entrada. Até conferi atrás dos vasos de planta, mas não havia nada que nos desse alguma ideia.

— Júlia Castro e Gabriel Silva! — Rosana, nossa supervisora, gritou séria enquanto vinha em nossa direção.

Tomei um susto tão grande que meu coração pareceu bater mais rápido que o dos poetas apaixonados ao verem suas musas inspiradoras. Conferi as horas no celular e percebi que havíamos passado do horário do recreio. Com toda a distração da porta vermelha, nem passou pela minha cabeça conferir as horas.

— O que os dois estão fazendo fora da sala de aula... — ela ergueu o braço e conferiu um relógio dourado no pulso — ...oito minutos depois do fim do recreio? Posso saber?

Olhei para Júli por impulso. O que faríamos? A única certeza era que falar que estávamos tentando descobrir um jeito de entrar naquela sala *não* era uma opção.

Então, o que responderíamos sem arrumar problemas?

CAPÍTULO 5

Júlia

GABRIEL ERA O TIPO de pessoa que fugia de confusão mais do que o diabo foge da cruz. Era o aluno exemplo para os professores, e quase dava para ver uma auréola acima de sua cabeça.

Não se podia dizer o mesmo de mim: embora tivesse notas excelentes, me meter em trapalhadas era uma filosofia de vida.

Por isso, naquele momento em que Rosana nos pegou tecnicamente matando aula, foi engraçado ver a cara de "estou em apuros" dele. Digo "engraçado" internamente, já que não seria de bom tom rir na cara da supervisora, que parecia aguardar impaciente por uma explicação.

O rosto de Gabriel deixava claro que ou eu falava algo ou ficaríamos os três olhando um para a cara do outro. De início, me imaginei contando a verdade, mas tive vontade de rir de novo só de imaginar o que Rosana pensaria de nós.

— Júlia e Gabriel — Rosana pronunciou cada nome pausadamente, não deixando dúvidas de que, se sua paciência fosse uma bomba, estaria prestes a explodir. — Vou perguntar novamente: posso saber o que estão fazendo aqui quase dez minutos depois do recreio?

Pensando bem... talvez fosse uma boa estratégia falar que a lenda inventada pela 901 foi a grande motivação para fingir que éramos uma dupla de espiões chamada Juliel, que decidiu salvar o dia e descobrir o que tinha na sala 7. Rosana acharia graça, nós riríamos juntos e tudo ficaria bem com um "Ai, ai... vocês são ótimos".

Brincadeira.

Dizer que estávamos tentando arrumar um jeito de entrar em uma sala que, provavelmente, tinha um bom motivo para estar trancada nunca seria a coisa mais inteligente a fazer.

Precisava inventar algo que fosse crível e que não deixasse graves consequências... Mas o quê?

– Já que os bonitos não vão responder, podem ir direto pra minha sala. Quem sabe não vão se sentir mais falantes enquanto eu estiver assinando uma ocorrência disciplinar para os responsáveis de vocês?

Podia jurar que Gabriel tremia. Ele certamente nunca tinha estado na sala da Rosana, e senti pena ao ver o desespero estampado em seu rosto. Ir para a sala dela não era uma das coisas preferidas dos alunos do Maria Quitéria. Ninguém ia lá para tomar um suco, por exemplo.

– Respira – cochichei, já que ele parecia estar segurando a respiração desde o momento em que Rosana gritou nossos nomes. – Vai dar tudo certo, confia em mim.

Pegamos o corredor da biblioteca e atravessamos o pátio e a cantina até chegar na sala. Rosana era nossa supervisora havia bastante tempo, e, para nossa infelicidade, os pais viviam dizendo que fazia um bom trabalho no Maria Quitéria justamente por ser muito rígida.

Nos sentamos nas cadeiras diante da mesa branca, e Rosana se acomodou do outro lado. Ela abriu a gaveta, tirou duas ocorrências e colocou uma caneta sobre as folhas. Depois, apoiou os cotovelos na mesa e sustentou o queixo nas costas das mãos, com uma expressão nem um pouco acolhedora.

– Vocês vão me responder agora?

— É o que você tá pensando mesmo, Rosana... – suspirei. – Estávamos matando aula.

Tentei fazer minha expressão mais digna de piedade sem parecer forçada demais.

— Não vou negar que estou decepcionada com os dois. Vocês são excelentes alunos, nunca me deram trabalho. – Ela encarava Gabriel, depois seus olhos caíram em mim. – Quero dizer... a Júlia me dá um pouco, sim.

Dei um sorrisinho sem graça quando ela se corrigiu.

— Mas no geral os dois têm boas notas, cumprem com os deveres... Nunca imaginei que estariam matando aula. – Rosana cruzou os braços e se recostou na cadeira.

— Sabe o que é? – comecei, sem ter ideia de como continuar a conversa. Precisava tirar o Gabriel daquela situação, coitado. Claro que também estava preocupada comigo, nem de longe gostaria de uma ocorrência, mas tinha certeza de que a avó dele receberia aquilo de um jeito muito pior do que os meus pais. – A gente tá meio chateado com essa história do fechamento da escola.

Não era mentira. Aquilo realmente havia nos afetado, e chegamos a discutir várias alternativas para lutar contra a decisão, mas tudo foi por água abaixo (literalmente, no caso dos cartazes). Foi fechamento da escola que nos impulsionou a tentar descobrir o que havia na Sala Secreta, mas essa parte ela não precisava saber.

Rosana descruzou os braços, respirou fundo e puxou a cadeira para mais perto da mesa. Quando falou, seu tom de voz estava um pouco mais compreensivo.

— Eu sei que essa notícia não foi nada boa. Vocês estudam aqui desde muito novos, e imagino que tenham se apegado ao Maria Quitéria. Mas isso não pode ser um motivo para que matem aula. – Rosana ergueu um dedo e alternou o olhar entre nós dois. – Precisamos encerrar bem nosso trabalho. Ou vocês querem repetir o 7º ano na escola pra onde irão?

Não existia a menor possibilidade de Gabriel e eu tomarmos bomba, inclusive já tínhamos passado na maioria das matérias, mas eu jamais responderia isso a Rosana. Ter notas boas não nos dava o direito de desobedecer às regras.

– De jeito nenhum – Gabriel finalmente disse alguma coisa, e eu quase agradeci aos céus. Já estava achando que meu amigo tinha tido um choque traumático ao ver aquelas ocorrências em cima da mesa.

– Bom... – Ela semicerrou os olhos e encarou os dois papéis na mesa. – Estou pensando se dou mais uma chance pra vocês.

– Por favor! – pedi com as mãos juntas e olhos de cachorro sem dono. – Prometo que você não vai ter mais nenhuma preocupação conosco.

– Promete? – ela sorriu e jogou a cabeça para o lado. – Agora estou vendo vantagens nesse acordo, Júlia Castro. Mais *nenhum* problema com você até o final do ano?

Dei uma risadinha quando percebi em que estava me metendo. Eu teria que andar na linha até as férias.

– Ah, qual é? Não sou tão bagunceira assim.

– De fato, você não é o nosso maior problema de indisciplina – Rosana ponderou. – Mas não recebê-la mais em minha tão adorada sala seria muito bom.

Ela riu, e eu percebi que tinha conseguido nos livrar daquela. Rosana era brava, mas tinha o coração mole, às vezes. Com certeza, falar sobre o fechamento da escola e sobre o quanto estávamos chateados com isso havia causado impacto.

– Fechado – concordei com a cabeça.

Rosana estendeu a mão para selar o acordo, e eu a apertei.

– Agora, já pra sala! – Ela voltou à seriedade de sempre.

– Não vou me esquecer do que combinamos, ouviram? Se houver qualquer reincidência, não hesitarei em assinar essas belezinhas aqui.

A supervisora apontou para os papéis em cima da mesa, e Gabriel balançou a cabeça positivamente umas cinco vezes. Fomos direto para nossa sala, sem titubear.

– Não acredito que quase levei uma ocorrência – Gabriel disse no caminho.

– Mas, graças à minha esperteza, deu tudo certo. Eu falei pra confiar em mim. – Estalei a língua e dei uma piscadinha.

– Nunca tinha ido parar na sala da Rosana. – Ele me ignorou, encarando o chão como se estivesse decepcionado consigo mesmo.

– Tá vendo? Você acabou de ter uma experiência inédita. Construiu uma nova memória no Maria Quitéria! – brinquei, mas Gabriel realmente não estava no clima para piadas.

– Você nem parece nervosa com a quase ocorrência.

– Ah, é que eu já passei desse "quase" algumas vezes. Não me orgulho disso, mas já perdeu aquela emoção da primeira vez.

Gabriel finalmente soltou uma risadinha.

– É sério?

– Não, tô brincando, fiquei nervosa, sim. Se tomo ocorrência, é castigo na certa. No mínimo uma semana sem internet, e você sabe que tô viciada naquela série, não tô em condições de ficar sem ver.

Gabriel balançou a cabeça e revirou os olhos. Ele já estava acostumado ao meu vício em uma série diferente por semana. Era melhor continuar no assunto da advertência, porque aquela outra batalha, com certeza, eu perderia.

– Mas a gente não fez por mal! Não ouvimos o sinal do quarto horário porque estávamos concentrados demais na porta vermelha.

— E se você explicasse isso pra Rosana, ela ia querer saber mais sobre o que estávamos tentando fazer.

— Exato! — Apontei para ele. — E um espião nunca entrega seus planos!

Joguei a cabeça para trás, balançando meus cabelos crespos de brincadeira, e Gabriel riu.

— Vamos tomar mais cuidado da próxima vez — garanti a ele enquanto tentava elaborar novas estratégias. Talvez pudéssemos chegar mais cedo, ou quem sabe ficar até depois das aulas.

Gabriel parou de repente, me tirando dos meus pensamentos.

— Próxima vez?! Júlia, você estava na mesma sala que eu um minuto atrás? Você prometeu à Rosana não dar mais trabalho esse ano, e isso significa parar com essa ideia de invadir a sala 7!

— O quê? Você tá dando pra trás? — Meu queixo caiu e eu agitei as mãos, decepcionada.

— Nós quase tomamos uma *ocorrência*! — Gabriel repetiu, dando ênfase à palavra como se isso explicasse tudo.

— Mas deu tudo certo, eu consegui resolver! Nós vamos tomar mais cuidado, eu já disse.

— Júli, eu sinto muito, mas não posso correr esse risco. Anda, vamos voltar pra sala antes que a gente arrume mais problema.

— Mas, Gabriel!

Corri atrás dele, que tinha voltado a andar em direção à sala. Tentei elaborar argumentos para não desistirmos da missão, mas percebi que aquele não era o melhor momento. Gabriel ainda estava sob o "efeito Rosana". Coisa de principiante. Pela minha experiência, logo eu conseguiria convencê-lo.

Bom, pelo menos, era o que eu esperava.

CAPÍTULO 6

Gabriel

NUNCA NA VIDA pensei que pudesse tomar uma ocorrência disciplinar ou qualquer bronca da supervisora da escola, mas, quando a vi pegando aqueles papéis, percebi que o mundo podia dar várias voltas.

A astúcia de Júli sempre foi surpreendente, mas eu não conseguia entender por que ela simplesmente não colocava na cabeça que era hora de abortar a missão. Para o nosso bem.

Não era como se toda a minha curiosidade tivesse morrido. Eu ainda pensava sobre a possibilidade de encontrar um acervo literário secreto e valioso na sala 7, ainda mais considerando que em breve a escola seria fechada, mas não havia outra alternativa. Chegar em casa com uma ocorrência destruiria minha avó, que a vida inteira lutou muito para que eu tivesse a melhor educação possível.

Parei de divagar quando Ana me passou um papel dobrado.

— Júli que mandou — ela cochichou para que o Douglas, professor de Geografia, não lhe desse uma bronca.

Abri o papel e balancei a cabeça ao ler o título. Quando olhei para a última fileira, que era onde Júli sempre escolhia se sentar, ela deu uma piscadinha.

> ## DIÁRIO DE INVESTIGAÇÃO
> 1º DIA
>
> Juliel fez as seguintes observações:
> - Não só a porta vermelha está trancada, como a janela da sala também;
> - Há algum objeto que tampa a visão da janela, mas deu para enxergar alguns livros.
>
> CONCLUSÃO: Juliel criou a hipótese de que na sala 7 há um acervo literário secreto e importante. O próximo passo é descobrir como entrar nela.

Eu odiava como Júli conseguia atingir meu ponto fraco. Ela era muito esperta, sabia que livros eram o canto da sereia para mim. Só que, dessa vez, decidi tapar os ouvidos e não me afogar no mar, por isso acrescentei ao bilhete, em letras garrafais: "MISSÃO CANCELADA DEVIDO AO ACORDO SELADO COM A SUPERVISORA". Então, dobrei o papel e devolvi à Ana, e Júli suspirou, frustrada, quando o leu.

— Turma — Douglas chamou a atenção de todos com um aceno. — Como combinei com vocês, na sexta-feira vamos assistir ao documentário sobre os biomas brasileiros. Vai ser na sala de vídeo, já reservei pra gente. É pra trazer, sim, o caderno — ele adiantou antes que alguém perguntasse. — Quero que anotem as partes importantes para discutirmos depois.

— Vai valer ponto? — João quis saber.

— Vai! — ele respondeu, sério. Essa era uma das perguntas mais odiadas pelos nossos professores.

O sinal tocou e Douglas nos liberou.

– *Yes*! Sexta só temos aula até o penúltimo horário! – Júli fez uma dancinha enquanto eu guardava minhas coisas na mochila.

– Documentário sobre os biomas também é aula... – comentei, fechando o zíper, e ela bufou.

– Tô falando de aula mesmo! Ir pra sala de vídeo é legal, faz o tempo passar rápido.

– Pior que é verdade. – Coloquei a mochila nas costas e caminhamos para fora da sala, mas parei quando me lembrei de algo. – Ah, Júli! Você pode ir comigo à biblioteca? Terezinha disse que chegaram dois livros novos, ela ia separar pra eu pegar na saída.

– Só se você voltar à missão comigo – ela falou, rindo, e balancei a cabeça sem entender como minha amiga podia gostar tanto de encrenca. – Eu tô brincando, vamos lá. Falando nisso, já terminou o livro de novembro do clube de leitura?

– Não. Parece que a biblioteca não teve verba pra comprar tantos exemplares, daí tô esperando alguém devolver.

– Ah. – Ela pareceu decepcionada. – Tô quase acabando, assim que devolver te falo. É muito bom, Gabriel! Tem uma parte que eu fiquei *assim*! – Ela abriu a boca e arregalou os olhos. – É chocante porque...

– Não, não! – Tapei os ouvidos. – Nada de *spoiler*.

– Argh! – Júli revirou os olhos. – Então trate de ler rápido quando pegar, porque preciso comentar com alguém.

– Tá, tá! – Balancei as mãos. – Só não estraga a surpresa!

Os pufes coloridos da biblioteca estavam cheios de alunos lendo revistinhas, e Terezinha conversava com dona Vicentina.

– Ei, Tê! Vim pegar os livros que você falou.

– Ah, claro. – Ela girou na cadeira e pegou dois volumes na prateleira do balcão. Então, apontou o dedo para mim e disse: – Olha só, você sabe que leio todos os livros antes de colocá-los no acervo, mas esses acabaram de chegar e já tô te emprestando. Quero um parecer completo.

– Combinado! – sorri, e ela começou a preencher a ficha.

Meu olhar desviou do papel quando vi o trio da 901 entrando na biblioteca. Eles se sentaram em uma das mesas e cada um pegou algo para ler. Foi aí que notei algo estranho. Um deles apenas fingia ler um livro, que estava de cabeça para baixo. Vez ou outra, os três também olhavam para Júli e eu. Por que eles haviam cismado com a gente?

Enquanto isso, percebi que minha amiga encarava algo atrás de mim. Me virei, curioso, mas não encontrei o alvo de seu interesse. Desviei minha atenção quando ouvi uma tosse desesperada.

– Vicentina, minha filha! – Tê gritou. – Não tem nem quinze minutos que você tá aqui e já teve umas cinco crises dessa, você precisa procurar um médico.

– Ah – ela respondeu quando conseguiu parar de tossir. – É a idade que vai chegando, você deve saber, né...

Ri com a alfinetada em Terezinha, que devia ser uns dez anos mais nova do que dona Vicentina.

– Deus me livre! Qualquer coisinha já tô procurando um médico. Saúde é coisa séria, mulher! – a bibliotecária advertiu enquanto me entregava a ficha e a caneta para assiná-la.

– E eu vou procurar médico que horas, Terezinha? Dia de semana é Maria Quitéria o dia inteiro, e no final de semana cuido dos meus netos pra minha filha trabalhar.

A fala de dona Vicentina me fez lembrar da minha avó. Fui praticamente criado por ela, já que eu nem sabia quem era meu pai, e minha mãe se mudou para os Estados Unidos quando eu era pequeno. Ela me telefonava, e às vezes mandava um presente ou outro, mas quem cuidava de mim de verdade era vó Lúcia.

— Pois apareça na frente de Humberto com essa tosse pra você ver se aquele mala não te libera correndo com medo de pegar alguma doença — Terezinha cochichou para dona Vicentina, mas Júli e eu estávamos próximos o suficiente para ouvir e caímos na risada junto com as duas. — Se contarem que eu falei isso, não empresto mais livros, hein?

Ela apontou com a caneta para nós dois enquanto tentava segurar a risada. Tê pegou a ficha do segundo livro e começou a anotar também. Percebi que, mesmo sorrindo com a brincadeira, Júli mantinha os olhos fixos em algo.

— O que foi? — Ergui o queixo e virei as palmas das mãos para cima, sem entender o que ela tanto olhava.

Júli nem abriu a boca, apenas meneou a cabeça, como se não fosse nada, mas eu a conhecia o suficiente para saber que tinha algo acontecendo.

Só precisava descobrir o quê.

CAPÍTULO 7

Júlia

EU ERA UMA GAROTA inteligente e sabia disso. Como não havia pensado naquela solução?

Era só o que eu me perguntava enquanto encarava dona Vicentina e o chaveiro pouco convencional que circulava seu punho. "Há mais de 40 anos abrindo as portas do conhecimento" foi a frase que a 803 colocou abaixo de sua foto na feira de História. Achei uma homenagem bem linda, já que ela era a responsável pela abertura do portão e das salas.

Isso me levou a uma resolução tão óbvia quanto dois mais dois ser igual a quatro. Se dona Vicentina cuidava das chaves da escola, era grande a chance de ter uma que abrisse a porta vermelha!

Ela não era só um acesso ao conhecimento, era também a minha grande salvação. Sem exagero! Eu corria o risco de *morrer* de curiosidade se a escola fosse demolida antes que eu desse uma espiadinha na Sala Secreta.

Encarei o molho de chaves e percebi que em cada uma havia um papelzinho pregado com durex, como se fossem etiquetas. Em uma delas pude ler "portão principal", em outra, "sala 10". Tentei bisbilhotar um pouco mais na esperança de encontrar "sala 7", mas não consegui ver nada.

45

— O mínimo que o diretor Humberto pode fazer é te liberar um dia para ir ao médico — comentei ao ver o estado de dona Vicentina. Suas crises de tosse eram bem fortes. — Você é tão boa com todo mundo da escola, trabalha aqui há tantos anos...

— Ah, menina. — Dona Vicentina suspirou, e eu senti pena. — Coloca anos nisso...

Talvez dona Vicentina fosse como eu e tivesse pavor de consultório médico, remédios, injeções.

— Nós vimos uma foto de quando você começou a trabalhar no Maria Quitéria — Gabriel comentou enquanto guardava os livros que Terezinha havia emprestado.

— Faz tanto tempo, aquilo... — Ela parou quando mais acessos de tosse a atingiram. — Mas ainda lembro como se fosse ontem. — Seus olhos viajaram pela biblioteca, e ela pareceu reviver o momento. — Quando cheguei aqui, me deram um monte de chaves numa caixinha, sem a menor organização! — Ela deu uma risada abafada. — Saí conferindo sala por sala e etiquetei tudo. Depois fiz esse chaveiro, que me acompanha até hoje.

— Então a senhora tem a chave de cada mísero lugar dessa escola? — perguntei à dona Vicentina, mas olhando para Gabriel.

Ergui as sobrancelhas, tentando ser bem explícita, para ver se ele entendia.

Gabriel provavelmente percebeu meu interesse no molho de chaves, mas só tive certeza de que ele finalmente tinha entendido tudo quando arregalou os olhos. Quase dava para enxergar a luz que se acendeu em sua mente. Dois mais dois? Quatro. Logo depois ele negou com a cabeça, e, mesmo que não tivesse aberto a boca, eu podia escutar sua mente gritando: "Ai, não, Júlia, esquece isso!".

— Mas é claro! Não é à toa que os professores me desorientam pra abrir as coisas aqui.

— Isso é o que eu chamo de poder! — Terezinha balançou a cabeça algumas vezes, encarando a amiga com uma expressão debochada.

Enquanto conversávamos, três alunos se levantaram da mesa e andaram em direção à porta. Uma das meninas tinha mudado a cor das tranças de azul para roxo, e o garoto tinha feito um corte diferente no cabelo, mas eu os reconheci. Eram o trio da 901.

Eles se viraram antes de sair e, sorrindo, revezaram o olhar entre mim e Gabriel. Por fim, se entreolharam e concordaram com a cabeça, animados com algo que eu não fazia a menor ideia do que pudesse ser.

Conferi minha roupa e a do meu amigo; poderia estar suja de molho de macarrão ou sei lá o quê. Depois, peguei o celular para ver se havia algo no meu rosto. Nada de anormal. Dei de ombros, desistindo de entender aqueles três, e cheguei as horas.

— Preciso ir — avisei a Gabriel. Minha mãe contava comigo para ajudar a olhar meus irmãos menores.

Nos despedimos de dona Vicentina e Terezinha e seguimos para o portão da escola. Gabriel morava duas ruas depois de mim, e caminhávamos juntos por mais da metade do caminho.

— Você viu? Dona Vicentina é a *chave* de tudo, Gabriel! — brinquei com o trocadilho, e ele não aguentou segurar uma risada. — Nós nem vamos precisar arrombar a sala!

— Ah, então era esse o seu plano? — Gabriel colocou a mão na cintura. — Tô vendo que sua promessa pra Rosana não valeu de nada. Vou ficar bem esperto quando você me prometer alguma coisa.

— Deixa de ser chato, eu tô só brincando! Depois tenho que atualizar o diário de investigação. O molho de chaves de dona Vicentina é fundamental pra essa missão "Júli" sem "el" – falei, emburrada.

— E como você vai conseguir pegar a chave? – Gabriel perguntou, intrigado.

— Não vou entregar nenhum detalhe pra alguém de fora da missão – alfinetei meu amigo enquanto abria o portão de casa.

— Júli, agora é sério. Pensa bem antes de se meter em qualquer confusão, por favor.

Gabriel tocou meu ombro e pude perceber sua expressão preocupada. Ele tinha sido fofo, embora eu tivesse certeza de que nada que dissesse me faria desistir. Talvez, no fundo, ele também soubesse disso.

— Até amanhã! – Acenei e entrei em casa depois que ele também se despediu.

Minha cabeça estava a mil, e a cada vez que piscava os olhos, o chaveiro de dona Vicentina aparecia em minha mente.

———

Depois do almoço, tentei me distrair brincando com meus irmãos, mas a única pessoa que conseguiu tirar a porta vermelha da minha cabeça foi minha mãe.

— Juju, tô aqui pensando sobre o ano que vem – ela disse enquanto preparava a massa dos salgados que uma cliente tinha encomendado. – Já que o Maria Quitéria vai fechar, o melhor vai ser você mudar para aquela escola da pracinha.

Com uma frase, minha mãe captou toda a minha atenção e fez meu coração bater disparado.

— O quê? Não! Lá é horrível, mãe! Todo mundo fala mal da escola da pracinha!

— Filha, mas qual é a outra opção? — Ela interrompeu o que estava fazendo para me encarar.

— A opção é não deixar o Maria Quitéria fechar!

Me levantei do sofá, largando os brinquedos dos meus irmãos no chão, e fui em direção à minha mãe. O assunto era sério.

— Vocês já tentaram de tudo, minha filha. Você sabe que uma hora vai ter que aceitar isso.

Puxei o máximo de ar que cabia em meus pulmões, tentando fazer com que aquele pequeno acúmulo de água não vazasse pelos meus olhos, mas foi em vão.

— Tudo menos a escola da pracinha, por favor — foi só o que consegui dizer.

Minha mãe lavou as mãos e tirou o avental quando percebeu que eu estava chorando. Ela colocou a mão nos meus ombros, e sua expressão parecia solidária à minha tristeza.

— Eu sei que você gosta muito do Maria Quitéria, mas nem tudo na vida acontece como a gente quer, Juju.

— A gente podia pelo menos olhar uma escola melhor...

— É a única escola que dá pra você ir andando, meu amor. Ano que vem os gêmeos vão entrar no primeiro ano, não tem como eu e seu pai pagarmos passagem pra vocês três irem todos os dias pra escola. Você sabe como as coisas estão difíceis.

Concordei de imediato enquanto enxugava o rosto. Eu sabia que minha mãe fazia o melhor por nós, e não queria parecer uma garota mimada.

A verdade é que eu tinha ficado arrasada com aquela conversa. A escola da pracinha era a última opção que eu poderia querer, mas estava tão focada em não deixar o Maria Quitéria fechar que tinha me esquecido de pensar nas consequências que viriam caso não tivesse sucesso.

Então, a fala da minha mãe me jogou com tudo para a realidade: já estávamos em meados de novembro, era hora de procurar um novo lugar para fazer a matrícula. Não havia mais saída.

Fui para o meu quarto na tentativa de esconder as lágrimas que senti chegarem. Deitada na cama, não consegui controlar aquela onda de tristeza.

Lembrei do primeiro dia de aula, quando Gabriel e eu nos conhecemos. Estávamos tão perdidos do lado de dentro dos portões azuis... Mas, assim que o conheci, tive certeza de que seríamos amigos. Podíamos ser diferentes em várias coisas, mas era isso o que tornava nossa amizade tão legal. Com o tempo, fomos conhecendo o Maria Quitéria e aprendendo a gostar da escola que achamos que seria nossa até o fim do Ensino Fundamental.

Minha cabeça começou a trabalhar freneticamente para pensar em ações mais impactantes do que os cartazes

e abaixo-assinados que tínhamos feito. E se fôssemos para a porta da prefeitura implorar para o prefeito manter nossa escola? Será que ele iria mandar a polícia reprimir nossa manifestação?

Uma pontinha de medo surgiu, mas, ao mesmo tempo, senti que precisávamos lutar mais! Provavelmente, a maioria dos alunos do Maria Quitéria iria para a escola da pracinha, e as salas superlotadas deixariam tudo pior. Era agora ou nunca! Enxuguei as lágrimas, decidida a formar um grupo de alunos dispostos a continuar tentando salvar o Maria Quitéria.

No celular, abri o grupo da turma para ver com quem eu poderia contar. O Gabriel, eu tinha certeza; a Ana, representante de turma, também; e assim fui listando as pessoas que estariam do meu lado nessa. Na conversa, três alunos discutiam sobre a nova escola para onde iriam, e revirei os olhos. Eles já tinham até conseguido vaga! Era inacreditável que, enquanto eu tentava encontrar uma solução para a nossa escola, já houvesse gente encontrando soluções para si mesma. Que egoísmo!

Decidi ignorar aquelas mensagens e continuar minha lista. Não tinha problema se houvesse alguns traidores na minha sala; eu sabia que encontraria cúmplices no resto da escola.

Estava decidido: nós iríamos salvar o Maria Quitéria juntos!

CAPÍTULO 8

Gabriel

— CONSEGUI A VAGA na escola do centro, Gabel! — vó Lúcia contou, animada, quando cheguei do colégio.

— Sério?

— Acho que venci a secretária pelo cansaço. Ela deve ter pensando assim: "Se eu não der logo a vaga, essa mulher vai vir aqui todo dia me encher o saco".

— E ela não estaria errada, né, vó?

Rimos juntos.

— Não mesmo! Já tinha colocado na cabeça que você iria pra uma das escolas do centro.

— O ruim é que é um pouco longe.

— É, meu filho, mas vai ser bom pra você. Já conversei com sua mãe. Ela acabou de conseguir um emprego melhor nos Estados Unidos, vai mandar um dinheirinho extra pra gente, e com isso vamos conseguir pagar suas passagens.

— Que bom, vó. Obrigado.

— O que foi? Não tô te achando muito animado, pensei que ficaria feliz com a novidade. Aposto que o Maria Quitéria vai mandar todo mundo pra escola da pracinha, e lá eu sei que você não iria querer ficar.

— Não é isso. Eu tô feliz por saber que vou pra uma escola boa, mas é que... é triste pensar que o Maria Quitéria não vai mais existir. E imagino que nenhum dos meus amigos terá a sorte de conseguir uma vaga no centro, também. A Júlia, por exemplo, é da minha sala desde o primeiro ano, e agora...

– Você vai fazer novos amigos e ainda manter os antigos, vai ver só! Amanhã eu tenho médico à tarde, mas depois de amanhã vou te levar lá pra conhecer a escola. Você vai adorar! Agora vem comer, antes que esfrie.

Falar sobre minha futura escola me fez pensar na conversa com Júli. Ela tinha ficado indignada por saber que algumas pessoas já estavam em busca de uma nova escola. Minha amiga queria mesmo era continuar lutando pelo Maria Quitéria.

Júli pareceu tão brava com isso que não tive coragem de contar que minha avó era uma dessas pessoas que já planejavam um futuro pós-fechamento. Mas, agora que vó Lúcia tinha conseguido minha vaga, não tinha mais jeito: eu precisava contar a ela, ou depois seria pior.

Talvez eu devesse convencer os pais de Júli a fazerem o mesmo que vó Lúcia! Se eles fossem à escola e insistissem bastante, poderiam abrir mais uma vaga, e Júli e eu continuaríamos juntos!

Quando peguei o celular e abri o grupo da turma, vi que alguns colegas estavam falando sobre seus futuros em outras escolas. No início, Júli só mandou uma carinha brava, mas depois não aguentou e desatou a falar sobre como deveríamos lutar mais para manter o Maria Quitéria aberto, em vez de apenas dar as costas pro colégio.

A cada frase que Júli escrevia, eu ficava mais nervoso por pensar que todo o sermão da minha amiga cabia em mim como uma luva. Mas não era como se tivesse sido uma decisão fácil. Minha avó sempre fora muito preocupada com a minha educação, e, como só tinha a mim para criar, havia concentrado todos os seus esforços em conseguir uma boa vaga. Eu não podia simplesmente dizer "Não, vó, para de tentar buscar uma nova escola pra mim". Talvez, se ela não tivesse insistido tanto, eu poderia acabar tendo que ir para a escola da pracinha!

Até que eu gostaria de ser mais confiante, como Júli, mas, no meu íntimo, já havia aceitado o fim do Maria Quitéria. A decisão parecia estar tão acima de nós que todos os nossos esforços pareciam pequenas gotas de chuva tentando encher o oceano.

Agora, eu precisava colocar isso na cabeça da minha amiga e convencê-la a concentrar suas forças no mais importante: lutar por mais uma vaga na escola do centro.

———

No dia seguinte, no caminho para a escola, fiquei ensaiando quais palavras usaria, como começaria o assunto, e tentando prever as reações de Júli. Quando a encontrei no pátio, cabisbaixa, percebi que preferia comer um prato cheio de jiló a ter que falar sobre a escola com ela.

– Oi, bom dia. – Me aproximei e sentei ao seu lado.

– Bom dia... – ela respondeu sem entusiasmo.

Respirei fundo, tentando decidir se iniciava ou não aquela conversa delicada. Júli não parecia bem, era claro que não era o momento adequado para lançar aquela bomba. Ou será que eu estava era com medo da reação da minha amiga?

Tentei uma abordagem mais amena, começando a conversa por algo de que Júli gostava bastante: seus cachos crespos e volumosos.

– Seu cabelo tá bonito, o que você passou?

– Raiva – ela me cortou, emburrada.

Era óbvio que, minha estratégia não tinha sido eficiente, e, por um segundo, passou pela minha cabeça que Júli já tivesse descoberto sobre a minha vaga na escola do centro e estivesse brava comigo.

– Do que você tá com raiva?

– Da prefeitura, que mandou fechar nossa escola! Por que tinham que fazer isso? A escola é tão antiga, funcionou bem por tantos anos... Não me conformo! Acho que deveríamos bolar novas estratégias pra lutar contra o fechamento. Desistimos fácil demais, Gabriel!

Suspirei, aliviado por perceber que minha hipótese estava errada, mas logo em seguida fiquei tenso com os rumos do assunto. Era sobre isso que precisávamos conversar.

– Preciso te contar uma coisa.

Conquistei sua atenção e ela se virou para mim.

– Minha avó estava tentando uma vaga pra mim numa escola boa no centro, e ontem ela me disse que conseguiu.

– O quê?! – seu queixo caiu com o choque. – Eu não acredito nisso! Eu aqui, falando que precisamos lutar pelo Maria Quitéria, e você me diz que abandonou o barco que nem os meninos da nossa sala?

– Júli, precisamos ser realistas. Ao contrário de você, não acho que tentamos pouco, mas tudo o que fizemos foi em vão. É hora de procurarmos uma boa escola pro ano que vem.

– Não! É hora de lutarmos ainda mais! – Ela colocou as mãos na cabeça, irritada. – Nós estudamos juntos desde sempre, e agora você quer que cada um vá prum lado?

– Calma, aí é que tá! Eu pensei que talvez seus pais pudessem fazer o mesmo que minha avó e insistir por uma vaga pra você. Nós iríamos juntos todos os dias! É um pouco longe, minha avó disse que precisa de um ônibus e um metrô, mas nós vamos conversando, nem vamos ver o tempo passar –

falei, tentando parecer animado, mas logo vi que não havia conseguido empolgá-la. Júli continuava brava como antes.

– Ônibus *e* metrô? – Ela soltou uma risada irônica. – Ano que vem meus irmãos vão pra escola também, o que significaria seis passagens pra ida e seis pra volta. Meus pais não têm dinheiro pra isso, Gabriel! Se o Maria Quitéria fechar, eu vou acabar na escola da pracinha.

– Ah – suspirei quando vi meus planos morrerem. – Eu sinto muito, Júli...

– Não sente nada! – ela gritou. – Eu tô desde ontem tentando pensar em novas formas de manter a escola de pé, de continuarmos estudando juntos, enquanto você já pulou fora e tem uma nova escola pra ir! Você não tá nem aí pra nossa amizade!

– Não foi isso que eu disse! – falei mais alto também. Ela estava sendo injusta!

– Nem tudo precisa ser dito com todas as letras, Gabriel.

Júlia pegou sua mochila e saiu sem que eu tivesse chance de dizer qualquer coisa. Mas, se ela estava brava, eu também estava. Nada do que ela havia dito era verdade. Eu me importava, *sim,* com a nossa amizade, e estava, inclusive, pensando em um jeito de irmos para a mesma escola!

Mas ela não queria ouvir, e eu não iria correr atrás para explicar.

CAPÍTULO 9

Júlia

EU ESTAVA TÃO IRRITADA que mal conseguia raciocinar sobre meu último diálogo com Gabriel. Foi muito frustrante descobrir que, enquanto eu fazia de tudo para ficarmos juntos e salvar a escola, ele já tinha feito novos planos sem se importar se isso implicaria na nossa separação ou não.

Parecia que Gabriel não se importava com a nossa amizade, e isso me destruiu. Poxa, depois de tantos anos juntos!

A sensação de ter sido traída pelo meu melhor amigo permaneceu comigo durante todo o dia. Nunca havíamos brigado daquele jeito. Toda vez que tínhamos algum desentendimento, encontrávamos alguma forma de fazer as pazes. Mas daquela vez foi diferente. Gabriel me mostrou onde estava nossa amizade em sua lista de prioridades: no último lugar.

Tentei abafar a tristeza e reunir o resto de força que existia em mim para planejar a manifestação em frente à prefeitura. A primeira pessoa que pensei em trazer para o meu lado foi a Ana, a representante de turma. Ela sempre tenta fazer o melhor para a gente e apresenta argumentos excelentes quando tem algum atrito com os professores. Ana é uma grande revolucionária – e era dessas pessoas que o Maria Quitéria necessitava.

— Preciso de você — falei assim que entrei na sala e a encontrei sentada em seu lugar.

— Se eu te conheço bem, você tá armando alguma confusão — ela disse, rindo.

— O quê? Por que você acha isso? — respondi, dissimulada, sem conseguir segurar o riso também.

— Júli, me respeita. Eu conheço essa carinha de quem quer aprontar.

— É uma coisa séria. — Sentei ao lado dela para começar a explicar. — Precisamos unir forças e fazer um protesto na porta da prefeitura. Nada do que fizemos aqui adiantou, agora precisamos ir além.

Ana semicerrou os olhos, atenta a cada palavra que eu dizia, e eu soube que podia contar com ela.

— Tá, pode continuar... — Os lábios dela se repuxaram um pouco, deixando claro o interesse pelo que eu dizia.

— Vamos organizar a escola, fazer uns cartazes e escrever umas cartas. A ideia é mostrar pro prefeito o quanto o Maria Quitéria é importante pra gente e como esse fechamento vai nos afetar. Daí, marcamos um horário e vamos pra lá.

— Genial! — ela bateu palmas. — Precisamos reunir o maior número de pessoas possível. Tem um grupo só com os representantes de turma, vou falar com eles sobre a sua ideia.

— Ana, eu sabia que poderia contar com você! — Dei um abraço nela, animada com o que estávamos planejando.

Aquele assunto me distraiu tanto que eu quase consegui tirar a discussão com Gabriel da cabeça, mas, em certo momento, simplesmente desisti de tentar. Toda vez que meus olhos iam parar na primeira carteira do lado esquerdo e eu via aquele cabelo *black power* marcante, sentia uma pontada no coração. Nada conseguiria apagar o fato de que eu tinha brigado com o meu melhor amigo.

59

Não passamos o recreio juntos, e isso foi bem difícil para mim. Já estava habituada ao nosso roteiro de entrar na fila da cantina e depois sentar nos banquinhos do pátio para conversar sobre todos os assuntos do mundo. Mas, naquele dia, entrei na fila sozinha e me sentei no banco sem ter com quem tagarelar. Gabriel estava do outro lado do pátio, comendo sem ninguém ao seu lado.

O trimestre estava quase acabando, e, se não conseguíssemos salvar o Maria Quitéria, no ano seguinte, Gabriel e eu iríamos para escolas bem distantes. Seria esse o fim da nossa amizade? Esse cenário não me dava qualquer esperança de que voltaríamos a ser a duplinha inseparável de sempre.

– Júli, olha – Ana se aproximou, mostrando o celular. – Os representantes de turma se empolgaram com a ideia e já mandaram mensagens pros grupos das próprias salas. Que dia vamos marcar de ir lá na prefeitura?

– Amanhã? – propus, me empolgando com a ideia de uma grande manifestação.

– Mas vai dar tempo de organizar tudo?

– Ana, a gente precisa fazer isso rápido, antes que o Humberto descubra. Se ele sonhar com o que estamos planejando, vai tentar nos impedir.

– Bem pensado! – Ela apontou para mim, concordando com a cabeça. – Então é pra cada um fazer um cartaz e uma carta pro prefeito, certo?

– Isso! Vamos depois do almoço e faremos muito barulho!

– Ótimo! Vai ser incrível, e nós vamos salvar o Maria Quitéria! – Ana sorriu, confiante, e tentei absorver um pouco daquela energia positiva.

Mal consegui prestar atenção nos dois últimos horários; meu foco estava todo na carta para o prefeito.

Eu sei que é impossível prever o futuro, mas a verdade é que eu estava muito esperançosa com uma manifestação que iria além dos portões azuis do Maria Quitéria. Íamos chamar muita atenção!

No caminho para casa, fiquei bolando uma frase de efeito para o meu cartaz enquanto tentava me distrair do fato de que estava voltando sozinha. Apressei o passo até alcançar o portão de casa, como se chegar logo me tirasse o peso de ter brigado com meu melhor amigo.

(Não tirava.)

— Oi, pai, oi, mãe — cumprimentei os dois, que estavam na mesa, almoçando.

— Ei, Juju — eles falaram em coro.

— É o seguinte: estamos organizando uma manifestação na prefeitura contra o fechamento do Maria Quitéria amanhã, vocês me deixam ir?

— Manifestação na prefeitura? — Minha mãe se desesperou. — Você viu o que aconteceu na última manifestação que teve na prefeitura!

— Eu vi, mãe, mas a gente precisa lutar pela escola! Você vive dizendo que eu preciso aproveitar a oportunidade de estudar, que você não teve isso, e é o que eu tô tentando fazer! O Maria Quitéria é a melhor escola da região, enquanto a escola da pracinha...

— Mas, minha filha, você é só uma criança!

— Não sou mais uma criança, mãe, sou adolescente!

— Eu vou com ela, Bel — meu pai interveio.

— Roberto, você vai trabalhar no turno da noite amanhã, vai ficar muito cansado.

— Mas a Juju tá certa, ela precisa lutar pela escola dela enquanto ainda tem tempo.

— Obrigada, pai! — Abracei-o pelo pescoço, muito contente.

— Ai, meu pai eterno! — minha mãe resmungou, e vi que estava desarmada.

Saí correndo em direção ao meu quarto para preparar o cartaz antes que aquela discussão se estendesse e minha mãe mudasse de ideia.

— Júlia, você precisa almoçar! — ela gritou da cozinha.

— Já vou!

Voltei, servi meu almoço e parti em disparada para o meu quarto novamente. A cada garfada, escrevia no caderno uma nova sugestão de frase para o cartaz. Por fim, decidi ficar com algo que rimasse e pudesse se tornar um grito de ordem.

"Uma prefeitura séria não fecha o Maria Quitéria!"

Fiz as letras de um jeito bem colorido e chamativo e fiquei orgulhosa do meu trabalho. Mal podia esperar para ver o que os outros alunos fariam. Peguei o celular para conferir com a Ana a lista de quem havia confirmado e sorri ao ver o número de pessoas. Mas, ainda assim, uma coisa me impediu de ficar plenamente feliz: o nome de Gabriel não estava lá.

Será que agora que tinha conseguido uma vaga na escola do centro, ele não se importava mais em tentar manter nossa escola? Ou será que ele não queria ir por causa da nossa briga? As duas opções eram igualmente ruins, mas eu não podia fazer nada se Gabriel tivesse mesmo desistido do Maria Quitéria ou da nossa amizade.

CAPÍTULO 10

Gabriel

FIQUEI ABISMADO com a rapidez com que Júlia e Ana planejaram a manifestação na prefeitura. De uma hora para outra, já havia uma lista enorme de alunos confirmados. No grupo da sala, alguns mandavam fotos dos cartazes e das cartas que estavam fazendo.

Enquanto isso, eu vivia um dilema absoluto: como pedir aquilo à minha avó? Ela tinha se programado para me levar à escola do centro e estava empolgada para me mostrar o lugar. Além do mais, vó Lúcia sempre achava que tudo era muito perigoso e me mandava ficar longe de qualquer confusão.

Só que eu queria muito participar. Não sabia se teríamos chances reais de mudar a decisão da prefeitura, mas valia a pena tentar. E eu também queria apoiar a Júlia, mesmo que estivéssemos meio brigados e que, na cabeça dela, eu não ligasse para a nossa amizade e para a escola.

Aliás, não sei por que raios Júlia precisa ser tão intensa! Tudo é tão extremo com ela! Só porque eu mostrei um ponto de vista um pouquinho mais realista, ela já colocou na cabeça que eu não me importo com ela nem com a nossa amizade.

— Gabel, hoje depois do almoço vamos lá no centro pra eu te mostrar a escola e te ensinar a chegar lá, hein? Você vai ver que lugar lindo! Tem um jardim logo na entrada e uma biblioteca enorme! Você vai adorar!

Encarei a expressão animada da minha avó e fiquei sem saber como pedir a ela para mudar os planos. Dizer que eu queria trocar a escola nova pelo protesto era a mesma coisa que implorar por um sonoro "não", unido a um rigoroso "de jeito nenhum". Concordei quando encarei os fatos: ir com minha avó era a única opção.

—

Depois de tomar café, caminhei os quarteirões até a escola me perguntando se aquele caminho, ao qual estava tão acostumado, tinha mesmo os dias contados. Às vezes era muito esquisito pensar que a escola estava prestes a fechar.

Logo no portão azul estava Humberto, vigiando a entrada dos alunos. O diretor encarava um a um, parecendo um vilão de filme, e tive medo de que desconfiasse da manifestação. Era lógico que ele daria um jeito de impedir, se descobrisse, além de castigar as organizadoras.

Evitando contato visual, andei mais rápido para entrar logo. Humberto era, sem dúvida, a pior parte do Maria Quitéria. Mas assim que alcancei o pátio, percebi que nem o rabugento do diretor estava conseguindo atrapalhar aquela atmosfera determinada entre os alunos.

As conspirações duraram a manhã inteira, e entre cochichos nos corredores e mensagens nos grupos das salas, um aluno ia dando força para o outro. Júli e eu trocamos alguns olhares, mas nenhuma palavra. Eu sabia que ela estava pensando o pior de mim, especialmente por eu não ter confirmado meu nome na lista do protesto.

Eu precisava dar um jeito de convencer minha avó a mudar os planos. Talvez aquela fosse a última coisa efetiva que poderíamos fazer em prol do Maria Quitéria. Eu não poderia agir como um traíra e simplesmente ir conhecer a escola nova. Mas como falaria com vó Lúcia?

—

— Bença, vó — disse eu ao entrar na cozinha, onde ela estava terminando o almoço.
— Deus te abençoe, meu filho. Já tô terminando aqui, tá? Troca o uniforme e fica pronto pra gente sair logo depois do almoço. Ah, sua mãe ligou, disse que tá com muita saudade e que vai tentar conseguir umas férias pra vir nos visitar.
— Aham — respondi no automático.
— O que foi?
— Ela sempre diz a mesma coisa, mas nunca vem de verdade.
— Oh, meu filho, mas ela trabalha tanto! Você sabe que é difícil.

Assenti com a cabeça e segui para o meu quarto. Não via minha mãe há muito tempo, e ela nunca fez parte da minha vida de verdade: era vó Lúcia quem me criava, então, no fundo, pouco me importava se minha mãe viria ou não para o Brasil. Ela só podia parar de fazer falsas promessas para minha avó.

Tirei minha mãe da cabeça e foquei no que realmente importava: fazer com que vó Lúcia topasse alterar a rota e fosse comigo para a prefeitura, que também ficava no centro. Era um desvio pequeno, afinal.

— Gabel, tô te achando tão cabisbaixo... — vó Lúcia disse entre as garfadas. — Nem falar da biblioteca grande da escola te deixou animado!

— Ah, vó. É que... — Passei a mão pelo meu *black power*, tentando escolher as palavras. — É um tanto de coisa. Eu e a Júlia brigamos, pra começar.

— Por quê? — Ela parecia preocupada.

— A Júli acha que eu abandonei o barco arrumando uma vaga em outra escola. E a verdade é que eu tô muito chateado com o fechamento do Maria Quitéria. Sério mesmo.

— Eu tô vendo.

— Inclusive, queria te pedir uma coisa.

— O quê?

Encarei minha avó. Será que ela entenderia?

— Hoje os alunos se organizaram pra ir pra porta da prefeitura fazer uma manifestação contra o fechamento da escola. Eu tô me sentindo meio traidor da pátria, indo visitar a escola nova enquanto meus colegas estão lutando pelo Maria Quitéria. Será que a senhora não poderia me levar lá também? Eu juro que vou conhecer a escola do centro amanhã, se quiser.

— Manifestação? — Ela arregalou os olhos, tal como eu previra. — Ai, meu filho, isso não vai dar em boa coisa. Vocês são novos demais, vê se pode!

— Por favor, a gente fica só um pouquinho!

Vó Lúcia passou a mão pelos fios crespos e brancos e fez o típico biquinho de quando estava tentando tomar uma decisão. Ela era indecifrável, e daquele biquinho poderiam surgir respostas totalmente opostas.

— Por favor... — tentei mais uma vez. Era tudo ou nada.

— Tá, mas só um pouquinho.

— Obrigado, vó! — Levantei da mesa para abraçá-la.

— Você vai ficar bem perto de mim, e a qualquer sinal de confusão, nós vamos embora imediatamente — ela falou com certa dificuldade enquanto eu a apertava e beijava sua bochecha.

— Tá certo!

Terminei de comer na velocidade da luz e corri para fazer um cartaz e poder me juntar aos meus colegas. Vó Lúcia resmungou um pouco dentro do ônibus, tentando me fazer mudar de ideia, mas eu estava determinado.

Quando cheguei à porta da prefeitura, vários colegas já estavam reunidos em um clima de solidariedade. Quando Júli me viu, deixou escapar um sorriso, e eu sorri de volta.

– Você veio! – ela disse sem segurar a empolgação.

– Ao contrário do que você pensa, eu me importo, sim, com a escola. E com a nossa amizade.

– Desculpa – ela falou de repente e num tom abaixo do seu normal. Júli não era a melhor pessoa do mundo em pedir desculpas, e eu sabia que aquela palavra tinha saído de sua boca com muita dificuldade.

– O que você disse? Não ouvi.

– Não abusa! – Ela começou a rir e deu um tapinha em meu ombro.

– Vem, Júli! Vamos começar os gritos de ordem! – Ana a chamou para ocupar o lugar de liderança do protesto.

– A gente conversa depois – Júli disse antes de ir.

Observei que não paravam de chegar alunos, e que vários pais também tinham vindo apoiar a manifestação. A família de Júli, por exemplo, estava completa. Até os gêmeos tinham seus pequenos cartazes para defender a escola que queriam pro ano seguinte!

– Vamos lá, pessoal! UMA PREFEITURA SÉRIA NÃO FECHA O MARIA QUITÉRIA! – Júli convocou os alunos.

– UMA PREFEITURA SÉRIA NÃO FECHA O MARIA QUITÉRIA! – todos se uniram em um só coro.

Ergui as mãos e me juntei a eles, envolvido por aquela esperança de que poderíamos fazer alguma diferença.

– UMA PREFEITURA SÉRIA NÃO FECHA O MARIA QUITÉRIA!

A euforia de Júli e Ana sustentava a empolgação. Era algo incrível de se ver. As duas haviam preparado várias frases de efeito e iam se revezando, o que chamava a atenção das pessoas que passavam por ali. Será que a manifestação atrairia a atenção dos funcionários da prefeitura?

CAPÍTULO 11

Júlia

ERA COMO SE EU tivesse deixado de ser apenas a Júlia para me juntar àquele grupo de alunos e nos tornarmos um só. Gritávamos juntos, balançávamos os cartazes juntos e nos movíamos juntos. Eu estava certa de que o dicionário deveria acrescentar uma foto daquele momento ao lado do significado de "união".

Nunca havia sentido algo como aquilo. Estávamos colocando para fora todo o nosso ressentimento em forma de reivindicação, de luta. Era intenso, e a sensação era de que sairíamos vitoriosos ao no final. Não era possível que a prefeitura não reconsiderasse a decisão depois de todo o esforço que tivemos!

E quando eu olhava para o lado, percebia que aquela energia positiva corria não só dentro de mim, mas nos meus colegas também. E era tão irradiante que havíamos conseguido trazer vários de nossos familiares para nos apoiar. Lá em casa, fiz todo um discurso sobre como precisávamos manter aberta uma escola boa como o Maria Quitéria, e, no fim das contas, minha mãe pareceu ter virado a chave e visto que eu estava certa. E mais: declarou que meus irmãos também deveriam lutar pela futura escola deles.

PROTEJAM NOSSA ESCOLA
–NÃO– FECHA!
UMA PREFEITURA SÉRIA NÃO FECHA O MARIA QUITÉRIA

— UMA PREFEITURA SÉRIA NÃO FECHA O MARIA QUITÉRIA! – eu gritava com toda a força que meus pulmões e minhas cordas vocais permitiam, o que não era pouco. Unidos, os gritos de protesto de todo o grupo chamavam bastante atenção.

Tanta atenção que um homem saiu da prefeitura e se aproximou de nós. Foi o primeiro momento em que nos calamos desde que havíamos começado a manifestação.

– O que tá acontecendo aqui? – ele perguntou, encarando meus pais, que estavam ao meu lado.

Fiquei irritada com o fato de ele se dirigir aos adultos, e não a nós, que protestávamos. Parecia fingir que nem existíamos. Acho que meus pais perceberam minha indignação silenciosa, pois não responderam nada. Apenas viraram o rosto para mim e para Ana, o que obrigou o homem da prefeitura a nos enxergar.

– Estamos aqui pra protestar contra o fechamento da Escola Municipal Maria Quitéria de Jesus – Ana começou a falar.

– É, e exigimos a presença do prefeito! – acrescentei.

– O prefeito não está na cidade, viajou para resolver algumas questões. Então, isso não será possível.

– Não seja por isso. Também trouxemos cartas endereçadas a ele – falei enquanto pegava o pacote cheio de páginas e mais páginas de queixas.

O funcionário parecia não estar gostando muito de toda aquela situação, e suspirava a cada fala nossa.

– Vamos chegar a um acordo: eu me comprometo a entregar as cartas ao prefeito e vocês voltam pra casa.

Ana me olhou pensativa, sem saber o que responder.

– Essa tem que ser uma decisão coletiva – respondi, virando-me para o grupo de alunos. – O que vocês acham, gente? Confiamos no que ele disse?

— Ele só deve estar querendo se livrar da gente, Júli! O prefeito deve estar aí, sim, e esse cara não vai entregar nada! — um colega gritou.

— Mas se ele estiver falando a verdade, esse acordo pode ser nossa única chance de fazer as cartas chegarem até o prefeito! — outra aluna ponderou.

A dúvida que pairava sobre meus colegas me atingia em cheio. Acreditar ou não no funcionário? Eu não conseguia me decidir.

— Vamos fazer uma votação — Ana sugeriu. — Quem não acredita no cara?

Um grupo considerável de alunos ergueu a mão, e Ana contou os votos.

— Quem quer fechar o acordo?

Quando Ana terminou a pergunta, ergui o braço. Não estava 100% certa de que era a melhor opção, mas o argumento de que era a única chance de fazer com que o prefeito recebesse as cartas havia me convencido.

— Fechar o acordo venceu — Ana anunciou. Alguns comemoraram, outros acharam ruim. Democracia é isso, afinal.

Ana e eu nos viramos para o funcionário, que aguardava, um pouco impaciente.

— Decidimos confiar em você, mas queremos uma resposta do prefeito. Caso contrário, voltaremos com o protesto! — Coloquei a mão na cintura e encarei o funcionário.

— Certo, mocinha — ele respondeu, achando graça não sei do quê. — Mas não vão pensando que o prefeito vai responder tão rápido. Ele é um homem muito ocupado e tem muitas coisas pra resolver.

— Pois avise que temos pressa, as aulas vão acabar em breve — retruquei.

O funcionário puxou o ar para me responder, mas desistiu. Pegou o pacote de cartas e seguiu em direção à prefeitura.

— Pessoal, ainda não vencemos essa luta! Nós não vamos medir esforços para salvar nossa escola! – falei, me voltando para o grupo.

— É isso aí, muito obrigada a todos por terem vindo! Vamos conseguir! – Ana completou.

— Viva o Maria Quitéria! – puxei.

— VIVA! – todos responderam em coro.

―――

— Juju, eu tô muito orgulhosa de você! – mamãe disse no ônibus da volta. – Tá certo que fiquei receosa no início, mas você tinha razão: vocês têm mesmo é que lutar pela escola boa em que estudam. Se eu tivesse conseguido estudar, hoje minha vida poderia ser diferente.

— Obrigada por me apoiar! – agradeci, abraçando minha mãe.

— Vocês vão conseguir, filha, vai ver só! – completou papai, acariciando meu ombro.

— E ano que vem, o Artur e eu vamos pra lá! – Taís falou, animada. Eu tinha adorado o fato de que até os gêmeos entraram nessa com a gente.

O grupo da sala estava infestado de imagens e vídeos da manifestação, e eu não conseguia deixar de sorrir a cada postagem. Em uma delas, vi Gabriel com sua avó e me lembrei da conversa que tivemos. Eu tinha ficado tão feliz quando o vi que até me esqueci da nossa briga, no início, mas depois reconheci que precisava me desculpar.

Tudo bem que eu estava uma pilha de nervos com o fechamento do Maria Quitéria e a possibilidade de ir para a escola da pracinha, mas Gabriel estava certo em buscar melhores opções para si. Ele era um excelente aluno, e se a família dele conseguia pagar a passagem, tinha mesmo que ir para a melhor escola possível, caso o Maria Quitéria fechasse.

Entender isso não deixava a situação menos triste, nem tornava fácil eu me desculpar. Tive que passar por cima de uma montanha de orgulho para falar aquilo com ele, mas sentia que Gabriel merecia mais. Precisávamos ter uma conversa de verdade, só que eu não sabia nem por onde começar.

Decidi pensar sobre isso depois, e voltei a me concentrar nas fotos daquele dia marcante.

Quando meu pai terminou de fazer o jantar, fui para a sala comer e não deixei outro assunto alcançar a mesa: eu só sabia falar da manifestação e de como queria que fôssemos bem-sucedidos.

— Essa menina é esbaforida demais! Tá elétrica desde cedo, só sabe falar da escola — minha mãe zombou.

— Nossa, Bel, não sei a quem ela puxou! — meu pai falou, rindo.

— O que você tá querendo dizer, Roberto? — ela colocou a mão na cintura, fingindo estar ofendida.

— Quem é mais elétrica, a mamãe ou a Juju? — meu pai olhou para os gêmeos, que pararam para pensar.

Arturzinho levou três segundos para apontar para mamãe, e Taís semicerrou os olhos de um jeito divertido.

— Ah, não, Tatá! Você vai trair a mamãe também?

— Você tá usando sua autoridade de mãe pra influenciá-la, não vale!

— Acho que é a Juju! — Tatá decidiu, por fim.

— Tá vendo? A única da família que fica do meu lado! — Minha mãe levantou as mãos em um gesto teatral.

– Dramática – zombei.

Meu pai começou a contar histórias engraçadas que envolviam minha mãe, e, mesmo que já conhecêssemos algumas, meus irmãos e eu prestávamos atenção e ríamos como se fosse a primeira vez que escutávamos. Depois da sessão zoeira, fui dormir. Estava tão cansada que não precisei de mais do que cinco minutos para apagar.

Naquela noite, sonhei com a porta vermelha. Eu estava tentando descobrir o que havia lá dentro, e, no momento em que ia abri-la e desvendar o segredo, meu despertador tocou anunciando que era hora de levantar. Eu sei que era apenas um sonho, mas fiquei intrigada. Que tipo de surpresa minha mente criaria para aquele mistério? Mais do que isso, sonhar com a porta vermelha aguçou novamente minha vontade de voltar à missão "Júli" sem "el", que havia ficado em segundo plano desde que a manifestação se tornou meu foco.

Por ora, não havia mais o que fazer pelo Maria Quitéria. Precisávamos esperar o prefeito nos responder, o que só podia significar uma coisa: eu estava livre para me meter em uma nova confusão! Mesmo que jamais soubesse o que meu cérebro inventaria para a sala 7, no sonho, eu poderia descobrir o que *de fato* havia atrás da porta vermelha.

No caminho para a escola, enquanto pensava em estratégias para minha missão, encontrei Gabriel. No início, fiquei sem saber se estava tudo bem mesmo entre a gente, mas decidi cumprimentá-lo como se nada tivesse acontecido.

– Bom dia!

Ele deu um sorriso em resposta. Eu sabia que tinha um melhor amigo fantástico e que devia a ele um pedido de desculpas melhor, mas não sabia como começar a falar.

– Decidi voltar à minha missão e descobrir o que tem na sala 7.

– O quê? Ainda não esqueceu isso? Você não consegue mesmo sossegar, né? – Ele balançou a cabeça em desaprovação, mas deixou escapar um sorrisinho.

– Eu sonhei com isso hoje! Acho que é tipo um sinal do universo pra eu voltar!

– Júli, você é inacreditável, sabia?

– Sabia! – Balancei meus cachos crespos, tomando aquela frase como elogio, mesmo sabendo que essa não tinha sido a intenção de Gabriel.

Mas não importava o que ele dissesse: eu iria atrás daquele mistério e solucionaria a missão da Sala Secreta!

CAPÍTULO 12

Gabriel

PARECIA QUE AS COISAS entre mim e Júli tinham se acertado. Voltamos a conversar como antes, e eu estava satisfeito com isso. Ela também parecia feliz, especialmente porque já estava desenhando a próxima encrenca: voltar à missão da sala 7. Era incrível como Júli não conseguia sossegar. Às vezes eu tinha a impressão de que minha amiga era alérgica à tranquilidade.

No caminho até a escola, Júli foi me dando detalhes de seu sonho, de como havia feito para finalmente conseguir chegar à sala 7 e, quando parecia que ia contar o que tinha lá dentro, ela fez o barulho de um despertador, minando toda a minha expectativa.

— Sério? Você acordou bem na hora? — comecei a rir com o final inesperado.

— Não ria, foi horrível! Justo quando eu finalmente ia desvendar o mistério! — Ela fez uma expressão angustiada, e eu ri ainda mais.

— Talvez esse seja o nosso destino: nunca descobrir.

— De jeito nenhum! Vou até o fim com essa missão ou não me chamo Júlia Castro! — ela declarou de dedo erguido, em uma pose decidida.

Confesso que escutar a história do sonho havia devolvido um pouquinho da curiosidade que eu tinha antes de sermos pegos pela Rosana. A lacuna que o despertador de Júli criou fez minha cabeça voltar a trabalhar com a hipótese de ter mesmo um acervo oculto de livros dentro da sala.

É claro que eu não ia contar para minha amiga que a pulga atrás da orelha tinha voltado; eu ainda tinha muito forte na memória o momento em que Rosana quase nos deu uma ocorrência. Por isso, fiquei feliz quando encontramos a Ana na porta da escola e andamos juntos até a sala, conversando sobre a manifestação do dia anterior. Pelo menos por enquanto o assunto da porta vermelha tinha sido desviado.

Nosso primeiro horário era História, e eu estava achando incrível o capítulo sobre História da África. A aula era sobre os povos iorubá e como essa cultura está presente em nosso país, e a Adriana, nossa professora, conseguia nos transportar diretamente para o tempo e o espaço de cada conteúdo. Ela parecia ter poderes mágicos! A turma nem piscava direito, só queria ouvir mais e mais. No entanto, no meio de uma fala da professora, a porta da sala se abriu de uma vez e todos pudemos ver a cara rabugenta do Humberto.

— Estou sabendo da balbúrdia que vocês fizeram ontem na porta da prefeitura — ele falou rispidamente, sem pedir licença para Adriana ou dar ao menos um bom-dia. — Pois fiquem sabendo que o prefeito já falou comigo, e não há nada que possam fazer. A escola já está encerrando seus trabalhos, os professores estão sendo realocados, e aqui está a lista de indicações de novas escolas pra vocês. Não quero mais saber de qualquer arruaça, ou tomarei medidas *drásticas*!

A expressão do diretor era de puro ódio. Já esperávamos que ele não fosse gostar quando descobrisse sobre a manifestação dos alunos, mas ninguém esperava que ele fosse agir daquele jeito.

A sala tinha o clima do mais melancólico dos poemas. Reinava a sensação de derrota e tristeza, especialmente depois que a lista de indicações foi distribuída. O primeiro nome era o da escola da pracinha, e eu encarei Júli na hora, compartilhando seu temor.

— Professora, posso ir ao banheiro? — minha amiga perguntou com um tom de voz choroso depois que Humberto saiu da sala, e Adriana a deixou ir na mesma hora.

Quando Júli caminhou do fundo da sala até a porta, vi que seus olhos estavam marejados. Olhei imediatamente para Adriana. Eu sabia que os professores não gostavam de deixar mais de um aluno ir ao banheiro ao mesmo tempo, mas acho que estava óbvio que Júli não tinha saído de sala para isso. Ela precisava de um amigo.

— Vai lá — Adriana disse, sem eu precisar falar nada. Ela havia chegado à mesma conclusão que eu.

Corri pelo corredor à procura de Júli e levei algum tempo até encontrá-la em um canto isolado, chorando muito.

— Acabou, Gabriel — ela falou assim que me viu. — Fomos derrotados.

Me aproximei de Júli e a abracei forte, sentindo as lágrimas escorrerem dos meus próprios olhos.

Não sei quanto tempo ficamos ali, apenas ouvindo o choro um do outro, sem conseguir encontrar palavras que pudessem nos consolar de alguma forma. Não havia consolo, a verdade era essa. A escola onde estudávamos desde o 1º ano seria fechada, e no ano seguinte cada um iria para um lado.

— O que tá acontecendo aqui? — Rosana se aproximou.

Meu coração deu um salto com a ideia de Rosana achar que estávamos matando aula de novo e decidir finalmente assinar as ocorrências.

— Humberto distribuiu uma lista com sugestões de novas escolas. Disse que o prefeito já falou com ele e que não tem mais jeito: a escola vai ser fechada, não importa o que a gente faça. Ele também disse que, se planejarmos mais algum protesto, vai tomar "medidas drásticas", seja lá o que for isso. — Júli despejou as palavras com todo o ressentimento que havia dentro dela.

Rosana olhou de um lado para o outro, assegurando-se de que não havia ninguém por perto. Depois, se aproximou e pegou nossas mãos, respirando fundo algumas vezes. A supervisora parecia indecisa sobre começar ou não a falar.

— Escutem bem o que vou dizer: preciso que tenham calma.

— Como vamos ter calma?! É a nossa escola! — Júli rebateu, entre soluços.

Mais uma vez, percebi certa dúvida em Rosana. Ela parecia querer nos contar alguma coisa, mas, ao mesmo tempo, não poder.

— Olha, Humberto disse isso pra assustar vocês. Eu já me informei, a prefeitura falou que o prefeito ainda está viajando, mas que tomou conhecimento da manifestação e ainda não emitiu nenhuma nota oficial. Não são só vocês que estão lutando contra o fechamento do Maria Quitéria. Nós, a coordenação e os professores, estamos fazendo o possível e o impossível pra manter essa escola aberta. Não vamos desistir até conseguirmos.

— É sério? — Os olhos de Júli brilharam de esperança.

— Muito sério, por isso vocês não podem contar a ninguém o que eu acabei de dizer. Se Humberto descobrir que estamos tentando resolver as coisas por debaixo dos panos, pode atrapalhar tudo.

— Não vamos contar! — Júli prometeu, e eu concordei imediatamente.

– Tenham calma, por favor. Nós não perdemos essa luta, meninos, ainda tem muita água pra correr debaixo dessa ponte – ela disse com um sorrisinho esperançoso. – Mas eu preciso que vocês recuem agora. Não façam outro protesto nem nada, senão Humberto pode criar grandes problemas pra vocês e pra gente, que está agindo escondido. Vocês precisam confiar em nós agora.

– Tá bom – concordei.

– Júlia Castro, eu sei que você é uma das grandes líderes revolucionárias do Maria Quitéria – ela falou, rindo da própria piada. – Conto com você pra segurar seus colegas.

– Pode deixar!

– E, por favor, não chorem, porque não aguento ver isso. – Rosana nos abraçou e beijou nossas cabeças. – Agora preciso ir, tenho muita coisa pra fazer pra impedir essa injustiça!

– Obrigada, Rosana! – falamos juntos, e a supervisora nos deu uma piscadinha antes de voltar para sua sala.

– Você viu isso? – Júli limpou o rosto enquanto me encarava, estupefata. – Rosana e os professores estão do nosso lado! Não estamos lutando sozinhos!

– Shhh, não podemos contar isso pra ninguém – falei, vendo um grupinho de alunos passar.

– É verdade – ela abaixou o tom de voz. – Agora vai ser difícil ficar quieta e, como a Rosana disse, "ter calma". Acho que nem sei o significado dessa palavra.

Ri da besteira de Júli mesmo sabendo que não era cem por cento mentira. Manter minha amiga parada diante de tudo o que estava acontecendo seria a missão mais difícil da minha vida. Comecei a bolar alguma estratégia para evitar que Júli se envolvesse em mais protestos, abaixo-assinados ou qualquer outra coisa. Se até Rosana tinha medo do que Humberto poderia fazer com a gente como retaliação, imagina eu! Fora que precisávamos mesmo nos manter calmos e aguardar a ação dos coordenadores e professores.

Mas só de olhar para Júli eu soube que ela sossegaria por, no máximo, dois dias. Era óbvio que inventaria uma ideia *brilhante* para pressionar a prefeitura, o que deixaria Humberto indignado, e só Deus para saber o que poderia acontecer com ela. Diante disso, decidi que precisava mudar o foco de sua energia. Se Júli tivesse um novo objetivo em mente, ela conseguiria segurar todo o borbulhante caldo revolucionário que fervia dentro dela.

— Tenho uma proposta — falei de supetão, sem pensar muito no que iria dizer.

— O quê? — ela pareceu interessada naquelas palavras promissoras.

— Eu topo voltarmos com a missão Juliel se você topar ficar longe de qualquer coisa que envolva o fechamento da escola.

— É sério?! — O queixo da minha amiga caiu.

— Olha só, não tem nada que a gente possa fazer agora. Não sabemos se ano que vem teremos Maria Quitéria ou não, se continuaremos juntos ou não, então vamos dar o nosso máximo pra completar essa missão Juliel!

— Vamos! — Júli se levantou de uma vez.

— Mas tenho duas condições. A primeira eu já falei: não provocar o Humberto e deixar a Rosana e os professores agirem. A segunda é tomarmos o maior cuidado possível com a missão. Não quero levar ocorrência.

— Prometo, prometo, prometo! — ela deu pulinhos enquanto batia palmas.

Ver Júli sorrindo de novo foi reconfortante. O clima que se instaurara entre nós era completamente diferente daquele de minutos atrás; tínhamos enxugado nossos rostos, descoberto que a coordenação e os professores estavam do nosso lado e decidido seguir com a missão Juliel.

Não era como se eu estivesse só empolgado com a missão: havia aquela parte de mim que estava aterrorizada com a possibilidade de nos metermos em problemas, mas eu precisava fazer com que a mente criativa de Júli se preocupasse com outra coisa que não algum plano que pudesse atiçar a ira do diretor. Era uma questão de prioridade.

— Então vamos nos organizar! — Júli disse, animada. — Antes de me envolver com a organização do protesto, eu estava tentando criar alguma estratégia para conseguirmos a chave com a dona Vicentina. Ainda não consegui bolar nada, mas duas cabeças pensam melhor do que uma.

Quando comecei a refletir sobre o assunto, o sinal tocou anunciando o próximo horário.

— Beleza, vou tentar pensar em algo, mas agora acho que devíamos voltar pra sala. É a Cláudia no segundo horário.

— Bem pensado — ela piscou, estalando a língua, e seguimos para a sala.

Durante todo o trajeto, Júli ficou confabulando sobre nossa missão, e eu fiquei satisfeito por ver que tinha conseguido o que queria.

CAPÍTULO 13

Júlia

AQUELE TINHA SIDO um dia de muitos altos e baixos. Primeiro, a fala de Humberto havia feito com que eu me sentisse derrotada, mas depois a conversa com Rosana trouxe minha esperança de volta. E, para completar, Gabriel decidiu voltar à missão Juliel! Eu estava eufórica!

Minha cabeça só sabia trabalhar em função de uma coisa: conseguir a chave de dona Vicentina. A condição de Gabriel para voltar à missão era não nos metermos em encrencas, então tudo precisava ser milimetricamente calculado: ninguém podia saber do nosso plano.

Fui dormir tentando fazer meu cérebro parar de trabalhar nesse assunto, mas ele estava ocupado demais com as perguntas sobre a Sala Secreta. Tive esperança de voltar ao sonho da noite anterior, mas, quando o despertador tocou no dia seguinte, não consegui lembrar o que havia sonhado.

Não fiquei chateada: a verdade era que eu queria tanto ir pro Maria Quitéria e continuar a missão que levantei sem pestanejar, e minha mãe ficou alguns segundos encarando meu bom humor matinal incomum.

— Não vai reclamar nem um pouquinho de ter que ir pra escola? — ela questionou enquanto eu servia café para nós duas.

— Como assim? Adoro ir pra escola!

— Você tá doente?! – minha mãe perguntou, falsamente alarmada, fingindo medir minha temperatura. – Socorro, o que fizeram com a minha filhinha?

— Bom dia, amor. – Meu pai entrou em casa e beijou a cabeça da minha mãe. Seu rosto cansado deixava claro que aquele turno de trabalho da madrugada não era o seu preferido. – Bom dia, Juju.

Ele passou a mão no meu cabelo.

— Roberto, você acredita que hoje sua filha mais velha tá que não se aguenta de ansiedade pra ir pra escola? – ela botou uma mão na cintura e caprichou no tom irônico.

— Ah, não é possível! – As sobrancelhas de meu pai se juntaram, e ele me analisou. – O que você botou nesse café que a Júlia tá tomando, Bel?

Minha mãe riu.

— Vamos ter que procurar um médico de cabeça pra levar essa menina.

— Vocês são é muito bobos – falei, rindo da encenação dos meus pais e checando as horas pela quarta vez. – Preciso ir!

Virei a xícara de café inteira e soprei um beijo para os dois.

— Menina do céu! – ouvi a voz da minha mãe enquanto descia as escadas aos pulos.

— Vejo vocês mais tarde! – gritei em resposta e disparei pelo caminho que fazia todos os dias.

"Bem-vindos à Escola Municipal Maria Quitéria", li mentalmente ao passar pelos portões azuis. Para minha alegria, o diretor Humberto não estava supervisionando a entrada, então ajeitei meus cabelos, dando mais volume a eles. Estava empolgada com a ideia de conseguir a chave e descobrir logo o que havia por trás da porta vermelha.

— Preparado pra mais um dia de missão Juliel? — surgi de repente, dando um susto em Gabriel.

— Ai, garota! — Ele colocou a mão no coração. — Bom dia pra você também.

— Desculpa. — Sorri. — É que minha cabeça não para de pensar na Sala Secreta, mas pelo menos isso serviu pra eu arquitetar um plano pra hoje.

— E qual é?

— Bom... — Inspirei fundo antes de começar a falar o que estava em minha mente. — Naquele dia, na biblioteca, a dona Vicentina falou que passa o dia todo na escola, certo? Eu mesma já a vi trabalhando no turno da tarde, nas vezes em que fiquei até depois do horário.

— Sim, eu também.

— Mas acho que seria complicado ir em casa só pra almoçar e depois voltar. Então, supus que ela deve comer aqui com os alunos que estudam nos dois turnos.

— Faz sentido.

— Mas não dá pra comer com aquele trambolho de chaves no braço, dá?

— Certamente não. — Gabriel balançou a cabeça devagar, a boca se abrindo em um sorrisinho à medida que entendia minha ideia.

— A gente precisa descobrir onde ela guarda o chaveiro. Então, pegamos emprestado rapidinho, abrimos a sala 7, damos uma olhadinha e saímos. Vai ser o tempo do almoço, ninguém vai perceber, e poderemos finalmente viver em paz.

— Soa um pouco arriscado, mas... — Ele ergueu os ombros.

— Eu sei. Até tentei pensar em mais ideias, mas não acredito que exista outro momento em que dona Vicentina solte aquele molho. Ela deve até levar ele pra casa, já que tem que abrir o portão todo dia.

— Sim, acho que não temos outra saída. Vamos precisar ser bastante discretos pra dar certo.

— Somos Juliel ou não? — alfinetei meu amigo.

— Sabe o que eu tava pensando? Precisamos de uma frase de impacto, tipo: "Juliel: prontos pra arrasar!".

Ele esticou uma mão com o punho fechado e semicerrou os olhos para dar um efeito heróico. Disparei a rir.

— Quando eu pensava que não tinha como parecermos mais ridículos... — falei entre risadas, e ele tentou ficar sério, sem muito sucesso. — Quer dizer que enquanto passei horas tentando bolar um plano, você ficou nessa de criar um grito de guerra?

— Prioridades. — Ele deu de ombros.

— Faz de novo, vai? — pedi, colocando a mão na barriga, que já estava doendo de tanto rir.

— Você tá fazendo com que eu pareça um bobo. — Gabriel negou e agitou as mãos, mas seu sorriso largo continuava ali.

— Ah! — gritei, jogando a cabeça para trás e gargalhando mais. — Eu? Acho que você não precisa de mim pra isso, dá conta do recado sozinho!

Ergui a mão numa tentativa de parodiar o gesto que ele havia feito.

— Anda, vamos pra sala — ele colocou as mãos em meus ombros, tentando me guiar, mas eu não conseguia parar de achar graça.

Só fiquei séria de novo quando entrei na sala e vi a Cláudia, professora de Matemática, se preparando para começar a aula. Ela era brava, e eu não dava mole em suas aulas — ou, pelo menos, tentava não dar.

— Júli, tá tudo bem com você? — Ana se aproximou quando a professora saiu da sala para buscar uma lista de exercícios. — Ontem você saiu chorando da aula de História.

— Foi o impacto do que o Humberto disse... mas agora tô bem.

— É, não foi fácil mesmo ouvir aquilo — ela se lamentou. — Os outros representantes de turma vieram me perguntar se não vamos planejar um novo protesto. O que você acha?

Gelei. Rosana estava contando comigo para manter os alunos longe de qualquer atrito com Humberto enquanto ela fazia o que podia por baixo dos panos. Ao mesmo tempo, eu não podia contar aquilo à Ana ou a qualquer outra pessoa.

— Acho que não, não agora. A gente não sabe se Humberto estava falando sério sobre o prefeito. O funcionário prometeu que ia repassar as cartas e disse pra sermos pacientes. Acho que devemos esperar mais um pouco.

— Tem razão — Ana concordou com a cabeça, e eu suspirei, aliviada.

Quando Cláudia voltou à sala, Ana correu para o seu lugar, e minha mente se voltou para a missão Juliel. Meu plano de conseguir a chave da porta vermelha só seria realizado depois da aula, na hora do almoço, quando Gabriel e eu tentaríamos descobrir se dona Vicentina guardava mesmo seu chaveiro, e onde. Mas uma pergunta ficou martelando em minha cabeça durante os primeiros horários.

— E se ela não tiver a chave da sala 7? — perguntei quando saímos para o recreio.

— Hmmm... — Ele pensou. — Isso estragaria nossos planos.

— Acho que devemos conferir, só por garantia. — Observei meu amigo para ver sua reação. — Naquele dia, tentei ver se ela tinha ou não a chave que tanto queremos, mas só consegui ver a da sala 10 e a do portão principal. O que acha de tentarmos descobrir isso agora?

– Mas como?

– Ah, sei lá... – Dei de ombros. – A gente fica conversando um tempo com ela enquanto tentamos ver alguma coisa. Dona Vicentina gesticula muito pra falar, às vezes damos a sorte de enxergar a chave 7.

– Boa!

Vi que a merenda que Sérgio e Tião serviam na cantina era arroz-doce, e minha boca se encheu de água, principalmente porque os dois cozinhavam muito bem. Pensei em entrar na fila rapidinho, mas desisti quando vi que os três últimos eram os meninos da 901. Eles eram bizarros, e tinham alguma fixação estranha por mim e por Gabriel.

Balancei a cabeça e varri o pátio com os olhos à procura de dona Vicentina; ela costumava estar em todos os lugares e em nenhum ao mesmo tempo. Às vezes, eu tinha a impressão de que ela era onipresente, mas, justo quando precisávamos dela...

– Ali! – Gabriel apontou para uma senhora de pele clara que ajeitava o coque.

Fomos até dona Vicentina, e meu coração deu uns pulinhos mais rápidos. Só queria poder colocar os olhos na bendita da chave para poder seguir com o esquema da hora do almoço.

O pior de tudo é que Gabriel e eu não tínhamos um plano B. E se a chave da porta vermelha não estivesse no molho de dona Vicentina, o que faríamos?

CAPÍTULO 14

Gabriel

JÚLIA ERA UMA PESSOA precavida, e eu tinha achado ótima sua ideia de checar o molho de chaves. Já imaginou se pegamos o chaveiro e só depois descobrimos que a chave que tanto procuramos não está lá?

— Oi, dona Vicentina! — Júli sorriu assim que a encontrou. — A senhora melhorou daquelas crises de tosse?

Balancei a cabeça sutilmente, em desaprovação, enquanto tentava segurar um sorriso. Só eu sabia que aquela pergunta não tinha um interesse verdadeiro. Estávamos ali por outro motivo, mas eu não podia perder tempo rindo. Então, tentei visualizar o que queríamos no pulso de dona Vicentina.

Sala 14, Sala de vídeo.

— Ah, menina... — ela respondeu, desanimada, e moveu a mão, o que me impediu de continuar lendo. — Melhorei nada.

— Não pediu ao diretor Humberto pra te liberar? — Júli se aproximou, seus olhos procurando o mesmo que os meus. Quando dona Vicentina cruzou os braços, as chaves se espalharam um pouco, deixando mais etiquetas visíveis.

Secretaria, Sala 6, Biblioteca, Sala...

— Você acha mesmo que... — ela começou a falar, mas foi interrompida por uma crise de tosses. Sua mão foi à boca e não consegui terminar de ler a etiqueta.

Aquilo era um 7?

Parei de prestar atenção no chaveiro quando percebi que a crise parecia piorar cada vez mais.

– A senhora quer que eu chame alguém?! – Júli se desesperou, como eu. Seu rosto não tinha mais aquela expressão de investigadora: a preocupação havia tomado conta de suas feições. – Um copo d'água? – ela se esforçou para entender o que dona Vicentina tentava balbuciar. – Fica calma, vou pegar! – Júli colocou a mão no ombro dela, guiando-a até um banco próximo. Depois, virou-se para mim: – Chama a Rosana enquanto eu busco água pra ela!

Júli saiu correndo, e eu não pensei duas vezes antes de fazer o que ela havia pedido. Forcei um pouco os olhos enquanto buscava a supervisora no pátio e, assim que a vi na porta de sua sala, corri até lá.

– Dona Vicentina tá passando mal! – as palavras quase se embolaram, de tão rápido que falei. O choque atravessou o semblante de Rosana, que largou uma pasta na cadeira e veio atrás de mim.

Ao voltar para perto de dona Vicentina, percebi que uma pequena aglomeração de alunos se formara.

– Afastem-se, por favor! – Rosana pediu. – O que houve?

A supervisora se sentou ao lado de dona Vicentina e tocou seu braço.

– Não foi nada, esses meninos é que são desesperados. – Ela tentou sorrir, mas outro acesso de tosse veio em seguida, como que para desmenti-la.

– Alguém pode pegar um copo d'água? – Rosana pediu.

– A Júlia já foi – falei, olhando ao redor em busca da minha amiga. Dei uma risadinha quando a vi tentando correr, mas não muito, porque carregava um copo quase cheio e não queria derramar.

— Aqui — ela disse com urgência, entregando o copo à dona Vicentina, que tinha voltado a tossir.

— Você engasgou? — Rosana quis saber, mas a funcionária apenas balançou a mão e a cabeça, dispensando a preocupação da supervisora.

— Acho que ela tá doente — disse Júli quando viu que ela não falaria nada. — Outro dia desses ela teve várias crises também. A senhora precisa de um médico, dona Vicentina. — Minha amiga cruzou os braços.

Rosana concordou com a cabeça, e dona Vicentina apertou os olhos, encarando Júli.

— Garota intrometida! — Ela fingiu estar brava, e minha amiga riu.

— Você não está em condições de continuar trabalhando assim — Rosana argumentou, sacudindo o dedo indicador. — Vamos conversar com o Humberto.

— Não preci... — dona Vicentina começou a argumentar, mas outra crise de tosse a atingiu, fazendo-a desistir.

As duas saíram em direção à sala do diretor, e eu coloquei a mão no ombro de Júli. Suas sobrancelhas estavam levemente erguidas, a boca quase formando um biquinho.

— Ela vai ficar bem — tentei acalmá-la. Minha amiga concordou e respirou fundo. — Quer comer arroz-doce? O Tião e o Sérgio ainda estão servindo a merenda, e eu sei que você gosta.

Tentei sorrir para animá-la, o que pareceu funcionar.

— Hmmm... — Júli umedeceu os lábios e fechou os olhos. — Só se for agora.

É claro que deixar para comer no fim do recreio significava correr o risco de a merenda ter acabado ou de não conseguir terminar de comer antes do sinal, mas também tinha a vantagem de não pegar fila.

— Ah, Julinha! — Tião disse sorrindo. — Pensei que não fosse merendar logo hoje, que é arroz-doce!

— Jamais cometeria um crime desses! — ela respondeu enquanto Tião lhe entregava um prato cheio.

Depois de pegar a comida, seguimos até uma das mesas vazias, e eu achei graça nos "hummm!" de felicidade que Júli fazia a cada colherada. Talvez, em seu próximo aniversário, eu pedisse a Tião e Sérgio para prepararem uma panela inteirinha só para ela de presente.

— Acabou que, com toda aquela confusão, nem consegui olhar as chaves — Júli comentou depois de saborear umas três colheradas.

— Tive a impressão de ter visto a da sala 7, mas dona Vicentina moveu o braço bem na hora, então não tenho certeza.

— Bom... — Ela ergueu os ombros. — De qualquer forma, nosso plano provavelmente vai ser adiado. Se Rosana tiver conseguido convencer dona Vicentina a ir ao médico, ela não vai almoçar aqui hoje.

— Amanhã a gente tenta de novo.

DIÁRIO DE INVESTIGAÇÃO

2º DIA

Juliel continua considerando dona Vicentina a CHAVE da questão, mas não foi possível ter certeza sobre o número 7 na etiqueta.

O plano de conseguir o chaveiro durante o almoço foi suspenso provisoriamente.

> CONCLUSÃO: Juliel segue sem descobrir o que há por trás da porta vermelha, mas retornará à missão assim que possível.

Entreguei o papel a Júli no quarto horário, e ela rapidamente pegou o lápis para acrescentar algo.

— Tenho cara de pombo-correio? — Ana zombou quando o devolveu.

— Obrigado — fiz questão de agradecer, e ri.

> ### DIÁRIO DE INVESTIGAÇÃO
> 2º DIA
>
> Juliel continua considerando dona Vicentina a CHAVE da questão, mas não foi possível ter certeza sobre o número 7 na etiqueta.
>
> O plano de conseguir o chaveiro durante o almoço foi suspenso provisoriamente.
>
> CONCLUSÃO: Juliel segue sem descobrir o que há por trás da porta vermelha, mas retornará à missão assim que possível.
>
> 2ª CONCLUSÃO: criar um grito de guerra acompanhado de movimentos com as mãos pode fazer a dupla parecer ridícula.

Segurei o riso para evitar que a professora confiscasse o papel. Seria complicado explicar seu conteúdo.

Olhei para minha amiga e tentei fazer minha melhor cara de "você vai ver", e ela imitou o gesto que eu havia criado mais cedo para fazer graça. Júli não deixava escapar uma.

No fim da aula, Rosana nos contou que tinha

conseguido permissão do diretor para dona Vicentina sair mais cedo e se consultar. Percebi que Júli ficou aliviada.

Ela queria muito saber o que tinha por trás da porta vermelha, mas era como se tivesse dado uma pausa em toda essa história de lenda e Sala Secreta por conta da saúde de dona Vicentina.

— Você até que tem um coração mole por trás dessa imagem de baguncceira — zombei, cutucando seu ombro. — Pensei que tivesse ido perguntar sobre dona Vicentina para conferir se o plano realmente precisaria ser adiado, mas parece que tá mesmo preocupada.

— Escuta aqui, Gabriel Silva! — Ela colocou as mãos na cintura e fez um biquinho com a boca.

— O que foi, Júlia Castro? — Imitei sua postura, e ela riu.

— Você me respeite! — Ela tentou se recompor e conseguir alguma moral. — Dona Vicentina é muito legal, fiquei realmente preocupada com todos aqueles acessos de tosse. E se for algo sério?

— Pois é — concordei, dando fim ao ar zombeteiro. — Vamos torcer pra não ser. Espero que amanhã ela volte com boas notícias.

No caminho para casa, Júli e eu ficamos inventando coisas que poderíamos descobrir na sala da porta vermelha.

— Vários animais mortos — palpitei.

— Um fio de cabelo e uma unha de cada aluno que já passou pelo Maria Quitéria. — Ela esfregou uma mão na outra com um ar maligno.

— Que horror!

— Ou então pode ser uma sala de câmeras cheia de

documentos sobre nós, com detalhes de cada passo nosso: onde estivemos, o que comemos, o que fizemos no verão passado... – ela continuou a brincadeira.

– Isso é bem a cara do Humberto, ficar monitorando a gente pra arrumar formas de nos infernizar. – Soltei uma gargalhada, enquanto Júli pegava a chave para abrir o portão de casa.

– Ah! – Ela se virou novamente para mim. – A sala também pode ser, de um lado, um depósito com todos os fones de ouvido que os professores tomam da gente e levam pro Humberto e, do outro, caixas com os bilhetinhos interceptados no meio da aula.

– Olha, eu acho que todos os fones e bilhetinhos confiscados não caberiam em uma única sala – brinquei.

– Bem pensado. Só a nossa turma já encheria o acervo. – Júli apontou para mim, concordando. – Já sei! Pode ter vários potinhos de vidro com lágrimas dos inteligentões que choram quando perdem média na prova.

Ela começou a rir, mas eu fiquei sério.

– Ei! Eu só chorei quando perdi média pela primeira vez. – Cruzei os braços, ofendido.

Júlia tocou meu ombro direito, parecendo solidária, e fez uma cara de pena.

– Então suas lágrimas estão lá, na terceira prateleira à esquerda. – Ela desfez a expressão e disparou a rir. – Deve ter sido o suficiente pra um vidro inteiro.

– Você me paga – respondi, deixando escapar uma risadinha.

– Não, não, não! Essa foi por você ter duvidado da minha preocupação com dona Vicentina. Agora estamos quites.

– Até amanhã, sua boba – balancei a cabeça e ri,

seguindo meu caminho enquanto Júli passava pelo portão de casa.

Andei mais depressa quando senti meu estômago roncar. Precisava almoçar logo. Tirei a corrente que circulava o portãozinho de madeira improvisado, obra de vó Lúcia para substituir o outro, que havia estragado, e entrei. A casa ficava mais ao fundo do lote e tinha um quintal de terra e grama, onde encontrei minha avó estendendo a roupa no varal.

— Bença, vó — pedi ao me aproximar.

Ela desviou os olhos do varal e sorriu para mim.

— Deus te abençoe, Gabel — respondeu, carinhosa. — Estudou muito?

Ela me olhou de rabo de olho. Vovó sabia a resposta, mas não podia perder a pose de exigente.

— É claro! — falei, pegando algumas roupas no balde para estender junto com ela. Vovó sorriu, orgulhosa com a resposta e com a atitude, e me deu um beijo na testa.

— O almoço tá no fogão. Vim estender essa roupa pra te esperar, mas vamos deixar isso aqui e comer antes que esfrie.

Ter voltado à missão para distrair a mente de Júli acabou fazendo com que minha mente se distraísse também. Finalmente eu havia voltado à curiosidade de antes, e passei o almoço e o resto do dia pensando nas possibilidades da Sala Secreta. É claro que as brincadeiras e os exageros ficavam para quando estava com Júli. Sozinho com meus pensamentos, eu focava em hipóteses reais. A única sala trancada de toda a escola. O que poderia ter lá?

Acordei no outro dia pensando: "de hoje não passa". Era sexta-feira, portanto, não iríamos ao Maria Quitéria nos dois dias seguintes, e eu não queria ficar com aquilo na cabeça durante todo o fim de semana.

Se dona Vicentina tivesse voltado, Júli e eu seguiríamos o plano do almoço. Se ela estivesse de licença ou algo assim, provavelmente entregaria o chaveiro à escola: afinal, alguém precisaria "abrir as portas do conhecimento" em sua ausência. Nesse caso, Júli e eu daríamos um jeito de descobrir o novo guardião das chaves.

De uma forma ou de outra, entraríamos na enigmática sala 7.

CAPÍTULO 15

Júlia

DESDE O MOMENTO em que passei pela placa de "bem-vindos", meus olhos só fizeram buscar dona Vicentina. Havia perguntado à minha mãe se ela achava que poderia ser algo grave, mas me arrependi logo em seguida. Ela começou a citar várias doenças de que já tinha ouvido falar e depois tratou de fazer o discurso de que era importante ir ao médico sempre.

Nunca vi gostar tanto de um hospital como minha mãe. Tenho certeza de que, se não tivesse precisado largar os estudos para cuidar da casa, hoje ela seria a doutora Maria Isabel. E seria uma das melhores da cidade, disso eu não tenho a menor dúvida.

– Pronta pra completar a missão? – Gabriel surgiu de repente ao meu lado.

– Nasci pronta – respondi dando uma piscadinha, e ele sorriu. – No recreio, vamos procurar por dona Vicentina ou tentar alguma notícia com a Rosana. Se ela estiver aqui, seguimos o plano do almoço; se não, tentamos descobrir quem tá cuidando provisoriamente do chaveiro.

– Fechado – ele balançou a cabeça, ajeitando a alça da mochila, e seguimos juntos para a sala de aula.

A cada vez que eu saía para ir ao banheiro ou dava uma espiadinha pela janela, tentava avistar dona Vicentina, mas não a encontrava em lugar algum. Coitada. Será que tinha pelo menos conseguido algum atendimento médico?

No recreio, a ideia era ir atrás dela imediatamente, mas quando vimos que a merenda era feijoada, decidimos entrar na fila. Era a refeição mais amada entre os alunos, e quem desse bobeira poderia acabar ficando sem.

— Tá conseguindo ver alguma coisa? — Me ergui na ponta dos pés para olhar na direção do pátio e da sala da supervisora, mas a fila da cantina dava voltas, o que atrapalhava minha visão.

— Não — Gabriel espichou o pescoço, mas nenhum de nós dois era alto como os alunos do 9º ano na nossa frente. — Nem sinal de dona Vicentina ou Rosana.

Assim que Tião serviu nossos pratos, Gabriel e eu não perdemos tempo entre as garfadas e continuamos a buscar os alvos.

— Que saco! escola nem é tão grande assim — bufei quando o sinal avisou o fim do horário. O tempo perdido na fila da feijoada fez com que não restasse quase nada para a missão. — Mas aposto que, se a gente ficar fora da sala por dois minutos depois do recreio, Rosana vai brotar do chão pra esfregar as ocorrências na nossa cara.

Deixei o prato na bacia de louça suja, ainda de mau humor.

— E temos matemática agora. Atrasar é tudo o que não podemos fazer — Gabriel suspirou, provavelmente se lembrando do último sermão que a Cláudia tinha passado em um grupinho que havia chegado três minutos depois.

— Não aguento mais adiar nossa descoberta! — Coloquei as duas mãos na cabeça, irritada. — Parece que a cada desafio que encontramos, mais a minha curiosidade se aguça.

— A minha também! Só de pensar naqueles livros que vimos pela pequena fresta...

Imaginar hipóteses bizarras, ou mesmo possíveis, não estava mais sendo o suficiente para segurar nossa vontade de abrir a tal porta 7. Já tínhamos fantasiado tantas coisas que, agora, o grande problema era o medo de nos decepcionarmos. E se fosse apenas um depósito de materiais de construção ou limpeza? Seria uma missão Juliel mais decepcionante do que as que costumávamos criar aos 7 anos.

―――

— Sai da frente, tô copiando! — um dos meus colegas gritou para o outro, que estava impedindo a visão do quadro.

— Anda, gente, vai bater o sinal! — a professora alertou.

Era o fim do quarto horário, e Cláudia tinha passado um dever enorme para segunda-feira. Como no próximo horário iríamos para a sala de vídeo com o Douglas, aquela era nossa única chance de terminar de copiar tudo.

Caso não conseguíssemos, todos já sabiam a consequência: a professora anotaria naquele caderninho do mal o famoso "dever incompleto", que nos renderia baixa pontuação no quesito "responsabilidade".

Nem todo mundo ligava para notas, mas ninguém suportava perder ponto em responsabilidade — aí já era demais. Parecia um atestado de imaturidade ou um recado não verbal de que talvez você devesse estar nas séries anteriores. Cruel.

— Já tirei foto e enviei pro grupo da sala — Ana interveio, erguendo o celular. Ela não era só uma ótima aluna, mas também uma perfeita representante de turma. Era bem provável que já tivesse terminado de anotar, mas isso não a impedia de se preocupar com o resto da sala.

Assim que Ana terminou de falar, as canetas e lapiseiras desceram quase em efeito dominó. Nossos pontinhos de responsabilidade estavam salvos, afinal.

Quando Douglas colocou o pé na sala, o barulho de zíper tomou conta. Guardar o material no quarto horário, em plena sexta-feira, era o sonho da turma inteira.

— Tô vendo que todo mundo tá lembrando da aula na sala de vídeo, né? — Ele cruzou os braços e nos encarou com uma expressão irônica. — Isso vocês não esquecem!

A turma riu em coro e o professor se virou para o meu amigo, que estava logo na primeira carteira.

— Gabriel, pode chamar dona Vicentina para abrir a sala de vídeo pra gente?

Douglas mal havia terminado a frase quando meu amigo, mais que depressa, direcionou seu olhar para mim.

— Eu vou com ele — levantei rápido.

— E desde quando precisa de duas pessoas pra isso, Júlia Castro? — O professor colocou as mãos na cintura e estreitou os olhos.

— Quatro olhos procuram melhor que dois — falei sem me virar enquanto saía correndo para fora da sala, antes que ele pudesse me impedir. Se fosse para me dar bronca, que desse na volta.

— Você é impossível — Gabriel riu enquanto descíamos as escadas em direção ao pátio principal. Soprei um beijinho de brincadeira.

— Bom... agora, com a escola vazia, temos chance de encontrá-la mais rápido. — Analisei a calmaria em que a escola ficava com todos os alunos em suas respectivas salas. — Mas primeiro vamos perguntar pra Rosana se ela tá aqui.

— Sim, melhor — Gabriel concordou e fomos em direção à sala da supervisora.

Dei dois toques na porta quando percebi que Rosana estava concentrada em alguns papéis, e entrei quando ela acenou para nós.

– Oi, Rosana. Douglas pediu pra gente procurar a dona Vicentina. Ele precisa abrir a sala de vídeo, mas não a vimos hoje por aqui... – Gabriel começou.

– Você tem alguma notícia? – perguntei.

– Olá, meninos. Custamos a conseguir convencê-la a ir ao hospital, e ainda bem que aquela cabeça dura foi. O médico acabou dando uma licença, mas não precisam se preocupar que não é nada grave. O remédio já tá fazendo efeito e ela acabou de me falar pelo telefone que tá se sentindo melhor.

– Ah, que bom. – Soltei a respiração, aliviada. A cena da crise de tosse no dia anterior tinha ficado em minha cabeça.

– Ela deixou o molho de chaves com a Terezinha, acredito que ainda esteja com ela.

– Obrigada, Rosana – Gabriel sorriu e nós dois saímos correndo em direção à biblioteca.

– Não acredito que tava lá o tempo todo. – Ri, pensando na correria que tínhamos arrumado no recreio quando, na verdade, o chaveiro estava com a bibliotecária.

– Oi, Tê! – Gabriel acenou quando entramos.

– Ah, oi, meninos! – Ela sorriu enquanto arrumava uma estante.

Havia uma pilha de livros no chão, e ela parecia conferir as etiquetas e organizá-los antes de guardar. Depois de colocar mais um livro na prateleira, Tê estreitou os olhos na nossa direção, desconfiada.

– O que estão fazendo aqui em horário de aula?

– Douglas precisa abrir a sala de vídeo pra passar um documentário pra gente – Gabriel respondeu, risonho.

Ele sabia que a Terezinha só estava brincando ao insinuar que matávamos aula.

— Ah! — Seu olhar foi em direção à gaveta atrás do balcão de atendimento da biblioteca. — Não sei por que me pediram pra cuidar desse tanto de chave. Não tenho como ficar pra cima e pra baixo igual à Vicentina pra abrir as portas. Vejam quanta coisa ainda preciso organizar! — Suas mãos se voltaram para o acúmulo de livros a sua volta. — Vocês podem levar o chaveiro e entregar ao professor? Me devolvam na saída, depois que trancarem a sala de vídeo, tá bom?

Gabriel e eu nos olhamos na mesma hora. Tínhamos acabado de ouvir aquilo mesmo?

— Cla-claro — ele gaguejou.

Era nossa grande chance.

Seguindo as ordens de Terezinha, meu amigo pegou o chaveiro. Agradecemos juntos e saímos da biblioteca quase tão rápido quanto a velocidade em que nossos corações batiam.

— Isso é uma miragem? — Apontei para o chaveiro peculiar de dona Vicentina. — Nós conseguimos mesmo?

— Inacreditável!

O queixo dele estava caído enquanto observava aquele mundaréu de chaves tilintarem em sua mão.

Começamos a buscar pela única que nos interessava. Se estivéssemos dentro de um filme de ação, aquela seria a cena em que os heróis se desesperam para libertar a vítima presa por bandidos perigosos.

— Sala 7! — gritei ao ver a etiqueta improvisada com durex. — Finalmente! — Coloquei as mãos no coração e fechei os olhos, grata pelo momento. — Vamos agora?

— Acho melhor não — Gabriel disse depois de pensar um pouco. — Douglas tá esperando a chave. Na volta, quando viermos entregar o chaveiro à Terezinha, damos uma passadinha rápida na sala 7 e solucionamos esse caso de vez.

— Fechado — concordei, já sabendo que eu não seria mais capaz de prestar atenção em nada do documentário sobre os biomas. Nada contra a matéria, até gostava, mas estava especialmente complicado tirar meus pensamentos da misteriosa porta que destrancaríamos em breve.

A cada minuto do documentário, meu amigo e eu nos encarávamos com aquele olhar cúmplice recheado de nervosismo e expectativa. Minha vontade era pegar o controle da mão do professor, avançar o vídeo e encerrar a aula mais cedo, mas parecia que o tempo queria zombar da minha paciência. A impressão era a de que se passavam duas horas inteiras para o relógio avançar dez minutos.

Minha mãe sempre dizia que eu precisava exercitar minha paciência, e agora estava começando a entender o que aquilo significava.
Talvez anotasse

essa proposta como resolução de ano novo, mas naquele momento eu só sabia bloquear e desbloquear meu telefone só para me decepcionar com os poucos números que haviam subido no relógio.

– O tempo não passa – sussurrei para Gabriel, que estava ao meu lado.

– Tenta prestar atenção no documentário pra se distrair – ele deu a dica. – Tô tentando fazer isso. Não é cem por cento eficiente, mas ajuda.

Fiz o que meu amigo disse, mas, entre cerrados e pampas, minha mente insistia em colocar a porta vermelha em foco.

Comecei a contar quantos alunos estavam na sala, depois contei quantos tinham cabelo longo, médio e curto. Quando me cansei, encarei o chão, brincando com os padrões geométricos que formavam o piso.

E quando estava procurando outra atividade para distrair a cabeça, o sinal tocou e todos se remexeram nas cadeiras. Era hora de ir embora.

Ou melhor, hora de entrar na sala 7.

CAPÍTULO 16

Gabriel

EU ESTAVA *MUITO* nervoso com aquele chaveiro nas mãos, o que me fez lembrar de quando a professora organizou um sarau e pediu para eu ler um dos meus poemas. Fiquei desorientado com a ideia de falar em público, ainda mais por se tratar de algo tão pessoal quanto um poema. Meu coração batia forte, minhas mãos suavam, mas o nervosismo que senti no sarau nem se comparava àquele que tomava conta de mim enquanto girava a chave da porta vermelha.

Eu era um bom aluno e sempre seguia à risca as instruções dos professores. Douglas tinha confiado em mim a tarefa de buscar o chaveiro, e Terezinha tinha confiado na gente para devolvê-lo assim que trancássemos a sala de vídeo. Além do mais, depois que Rosana nos pegou fora da sala de aula, Júli e eu prometemos não arrumar encrencas. No entanto, ali estávamos nós, traindo a confiança de todas aquelas pessoas!

— Júli, eu acho melhor não entrarmos! — falei, tomado pelo pânico. — Isso não tá certo...

— O quê?! Você acha mesmo que vou deixar a gente desistir agora? Nem pensar.

Se eu estava nervoso por estarmos fazendo coisa errada, o "nervosismo" de Júli era o oposto: ela estava tão empolgada que não conseguia parar um segundo. Movia as mãos o tempo inteiro, ora passando no cabelo, ora esfregando uma na outra, ora agitando-as no ar... Júli não compartilhava do meu medo nem um pouquinho.

— Anda logo, Gabriel! — Ela deu alguns pulinhos enquanto eu tentava controlar minha respiração.

— Não consigo — falei, nervoso demais.

— Então me dá. — Ela abriu as mãos e lhe entreguei o chaveiro de dona Vicentina.

Júli fez pressão na porta, que parecia um pouco emperrada. Eu não parava de olhar para os lados, preocupado em conferir se alguém nos observava. Quando Júli jogou seu corpo contra a porta e ela cedeu, eu perdi o ar.

— Isso! — Júli comemorou, correndo para espiar.

Estávamos dentro da sala 7.

Escura e empoeirada, a sala tinha de tudo: estantes, restos de material de construção, revistas, jornais, livros velhos, carteiras quebradas...

Me aproximei dos livros na esperança de encontrar algo interessante, prendendo a respiração para não ter um ataque alérgico. Folheei alguns com cuidado, mas percebi que naquele canto só havia dicionários antigos e gramáticas desatualizadas.

Corri para outra pilha e encontrei um livro grosso e grande, com páginas finas e amarelas. Quando o abri, me deparei com uma série de números acompanhados de nomes de estabelecimentos. Na capa, vinha escrito "catálogo telefônico". Pela quantidade de poeira, percebi que era algo antigo, até porque nunca tinha visto nada como aquilo.

Foi então que a decepção começou a tomar conta de mim. Não havia nada de grandioso ali. Era só um depósito de tralhas e materiais obsoletos, como havíamos imaginado na pior das hipóteses.

— Não acredito que nossa primeira missão de verdade acabou nisso – falei, erguendo os braços. – Nada de acervo raro ou arquivo secreto dos alunos. É só uma sala cheia de poeira.

Coloquei o catálogo de volta na pilha, sacudindo a cabeça.

— A esperança é a última que morre – ela ergueu um dedo e deu um sorrisinho. – Já olhou o que tem naquele armário?

Suspirei, impaciente com sua persistência.

— Mais dez minutos – ela pediu, mostrando os dedos.

— Cinco – respondi cruzando os braços.

— Sete. – Júli uniu as mãos e ergueu as sobrancelhas.

— Tá bom... – Me desarmei. Eu sabia que corríamos mais risco a cada segundo ali, mas tinha certeza de que Júli falaria pelo resto da vida sobre como não exploramos a sala direito se eu a fizesse ir embora naquele momento.

Enquanto Júli avaliava rapidamente os objetos dentro do armário, me perguntei com o que ocuparia a mente da minha amiga dali em diante, já que a Sala Secreta tinha sido o grande trunfo para tirar o fechamento da escola da cabeça dela.

— O que é isso? – ela mexeu em alguns objetos dentro de uma caixa de sapatos.

Observei uns blocos pretos com duas rodinhas brancas no centro. Havia versões maiores e menores.

— Ah, que legal! – Peguei para examinar quando me ocorreu o que eram. – São fitas VHS e cassete! Como se fossem DVDs e CDs antigos.

— Que engraçado – ela comentou enquanto líamos as etiquetas. Eram gravações da escola de quando ainda nem éramos nascidos.

Comecei a vasculhar o armário junto com ela. Mesmo que não houvesse nada de grandioso, pelo menos poderíamos ver alguns objetos antigos.

Encontramos uma vitrola, alguns discos de vinil, uma máquina fotográfica antiga e umas fotos amareladas.

– Bom... – Júli suspirou quando terminamos de vasculhar a última prateleira, fechando o armário.

– Pelo menos tivemos a chance de ver coisas mais velhas do que nós – completei, dando de ombros e ansioso para sairmos logo dali.

– Não era o que queríamos, mas...

Fui em direção à saída, mas percebi que Júli não só havia parado a frase no meio como não me acompanhara.

– O que é aquilo? – ela apontou para algo no chão, entre o armário e a parede.

– Já acabaram seus sete minutos.

– Não, é sério, vem ver! – Ela balançou a mão com urgência, aguçando minha curiosidade.

Quando cheguei perto, vi uma tampa redonda de ferro, como essas que ficam nas ruas e dão acesso à rede de esgoto. Júli afastou uma carteira quebrada e agachou para avaliar melhor. Percebemos que não havia nada escrito, mas um buraco na tampa nos permitia puxá-la.

Sem pensar duas vezes, fizemos força para abrir, e meu queixo caiu quando percebi uma escada que dava acesso a uma espécie de porão.

– Eu sabia! Tinha quer ter alguma coisa! – Júli gritou, eufórica, e se posicionou para descer.

– Acho melhor não. – Balancei a cabeça em desespero e me afastei. – A gente não sabe o que tem aí.

– Gabriel, qual a chance de eu viver uma vida inteira em paz sem descobrir o que é isso? – ela argumentou, começando a descer as escadas sem dar ouvidos aos meus protestos.

Eu sabia que era medroso além da conta, mas não entrar em um lugar desconhecido e sombrio era uma questão de instinto de sobrevivência!

– Vem logo, Gabriel! Tá tudo bem! – Júli me incentivou lá de baixo, e eu me aproximei melhor para avaliar a passagem.

– Você tem noção do quanto isso é arriscado? – gritei, na tentativa de fazê-la voltar.

– Pensei que éramos uma dupla! Mas se você não quiser explorar aqui, tudo bem, eu faço isso sozinha! – ela respondeu, sumindo do meu campo de visão.

Estiquei o pescoço para tentar encontrá-la, mas não pude ver nada.

– Júlia! – chamei. – Júlia? Cadê você? Isso não tem graça, me responde!

Silêncio.

– Júlia! Se você não me responder, vou achar que algo grave aconteceu e vou chamar alguém! – falei mais alto, mas nem minhas ameaças serviram como alerta.

Era óbvio que Júlia não queria meter ninguém naquilo, e imaginei que tentaria me impedir de buscar ajuda. Mas, como não houve resposta, acabei ficando nervoso com a possibilidade de algo ter acontecido com minha amiga.

– JÚLIA! – gritei o mais alto que pude.

Me afastei da tampa decidido a correr para fora da sala e pedir ajuda a algum funcionário. Quando estava prestes a sair, porém, refleti e achei melhor descer. E se Júli estivesse precisando de socorro imediato? E se não desse tempo de chamar alguém para salvá-la?

Com o corpo inteiro tremendo e o coração dando piruetas, tentei me equilibrar na pequena escada de madeira que dava para o porão.

Assim que botei os pés no chão, varri o lugar com os olhos e encontrei Júlia encostada na parede com os braços cruzados.

— Finalmente — ela disse com ar divertido. Foi aí que percebi que não tinha me respondido de propósito, só para que eu ficasse aflito e descesse.

— Você é inacreditável! — reclamei. — Pensei que tivesse acontecido algo!

— E eu pensei que você não fosse descer nunca! — ela bateu a mão na perna e se aproximou. — Se eles mantiverem a decisão de demolir o Maria Quitéria, essa escola inteira vai pro chão! É o nosso momento de conhecer cada mísera parte daqui, ou você quer passar a vida se perguntando o que poderia ter nesse porão?

— Eu ainda não acredito! — Coloquei as mãos na cabeça e neguei. — Poxa, fiquei preocupado de verdade, quase fui chamar alguém pra te socorrer.

— Desculpa. — Ela me lançou um olhar travesso, tentando segurar o riso.

— Jura que não tá nem com um pouquinho de medo? — Cruzei os braços, incrédulo.

— Um medo cheio de expectativas, eu diria.

Os olhos de Júli passeavam pelo lugar, seu corpo elétrico entregando a animação.

Respirei fundo algumas vezes e analisei onde estávamos. Havia várias paredes de concreto formando corredores, e tive a impressão de estar num labirinto, o que me afobou ainda mais.

— A gente deveria ir embora — tentei mais uma vez.

— Ou a gente deveria investigar é isso aqui. — Ela abriu os braços, apontando ao redor.

Neguei com a cabeça, mas nem preciso dizer qual das duas propostas acabamos seguindo.

Começamos a andar por aquele labirinto sem saber aonde chegaríamos. Júlia ia na frente, tentando eleger o melhor caminho, e em vários momentos me perguntei por que estava indo atrás dela. Era óbvio que aquilo não podia dar em boa coisa.

— Você tá conseguindo guardar o caminho que estamos fazendo? – questionei.

Por mais que eu tentasse, tinha a impressão de que não saberia voltar. As paredes eram parecidas demais!

— Mais ou menos... – ela titubeou, e ficou evidente que estávamos perdidos. – Olha!

Júli apontou para a frente, e eu avistei uma porta vermelha ao final do corredor. Nos aproximamos, sem saber se deveríamos abri-la ou não. Júlia e eu colocamos o ouvido contra a madeira para averiguar, mas nenhum som vinha do outro lado.

Ela se afastou, e seus olhos caíram sobre mim. Pela primeira vez, vi alguma insegurança surgir no rosto da minha amiga. Ela mordeu o lábio e ergueu as sobrancelhas, esperando que eu dissesse alguma coisa.

— É melhor a gente voltar... – tentei, sabendo que seria inútil.

— A gente não lembra o caminho de volta. Entrar é a única saída – ela respondeu, comprovando que eu a conhecia tão bem quanto imaginava.

Júli se virou para a maçaneta dourada e apoiou a mão, um pouco insegura. Prendi a respiração quando ela a girou e apertei meu próprio braço, sentindo o coração pulsar mais forte.

CAPÍTULO 17

Júlia

ERA INEGÁVEL QUE a sala 7 tinha frustrado nossas expectativas, nos deixando com um ar de derrota. Mas, quando atravessamos a porta vermelha, tive certeza de que havíamos encontrado o que tanto queríamos: algo especial.

A sala parecia nos transportar para outro tempo, outra vida. A decoração era marcada por tons de vermelho, e tinha um lustre bonito e chamativo no teto. Havia também algumas janelas enormes, mas logo notei que eram apenas decorativas. Nas paredes, alguns quadros e, à direita, uma mesa com seis cadeiras estofadas à moda antiga e uma estante de livros. Já do lado esquerdo havia um baú grande, quase do mesmo tom do piso de madeira.

Mas o que mais chamou nossa atenção foi a imponente espada protegida por uma caixa retangular de vidro no meio da sala. A luz amarela do lustre batia sobre ela, criando um brilho especial.

— Caramba! — Gabriel conseguiu dizer depois que avaliamos superficialmente o lugar. — Estamos no século XVIII? XIX? Que fantástico!

Movidos pela curiosidade, demos alguns passos à frente para explorar melhor, e tomamos um susto quando a porta se fechou com um estrondo atrás de nós.

– Ops! – Levei a mão à boca, assustada. – A porta bateu, e a maçaneta não gira do lado de dentro – falei, me virando para Gabriel enquanto tentava encontrar uma forma de sair dali.

– Estamos presos?! – Suas mãos vieram ágeis para tentar puxar a porta.

– Calma, vamos ligar pra alguém – falei, buscando o celular na bolsa.

A mesma luz de esperança que surgira nos olhos dele se apagou no segundo em que percebemos que não havia sinal ali embaixo.

– O seu também não? – Ele se aproximou de mim, e suspiramos juntos ao conferir a tela do celular.

– Talvez, se encontrarmos algum objeto fino, possamos cutucar por aqui e fazer a maçaneta do outro lado girar – propus, voltando meu foco para a porta.

– Boa ideia! – Ele balançou a cabeça algumas vezes, e seus olhos arregalados deixaram claro todo o pavor que estava sentindo. Daquela vez, não havia como culpá-lo: estávamos presos em um lugar longe e escondido, e ninguém poderia vir nos salvar.

– Gabriel – peguei suas mãos e fiz com que seus olhos encontrassem os meus. – Tem que haver algum jeito de sair daqui, só precisamos descobrir qual.

Tentei usar meu tom mais tranquilo, mas não pareceu funcionar muito bem.

Eu pensava que o dia em que quase tomamos uma ocorrência tinha sido o ápice do desespero do Gabriel, mas ali fui capaz de perceber que não tinha sido nada em comparação com o que via estampado em seu rosto.

– Respira fundo comigo – orientei, e aos poucos fui notando que conseguia certo resultado. – Vamos entender que lugar é esse enquanto procuramos por algo que nos permita voltar, tudo bem?

— Tudo bem. — Sua voz vacilou um pouco, e ele pigarreou, tentando parecer melhor.

— Ótimo! — Soltei suas mãos e girei o corpo para o centro da sala. — Então os meninos da 901 tinham razão: existe mesmo a Sala Secreta. — Tentei recordar tudo o que haviam contado no dia da feira de História. — Lembro que disseram algo sobre só conseguirem sair daqui os corajosos e merecedores.

— Como Maria Quitéria — Gabriel completou.

— Eles falaram isso? — apertei os olhos, tentando me lembrar, e Gabriel concordou com a cabeça. — Mas o que ela tem a ver com a sala?

— Muita coisa, eu imagino. — Meu amigo apontou para a parede, para um quadro em que uma mulher branca posava com uma arma.

Seu uniforme militar incluía uma blusa azul de manga longa e uma saia verde por cima da calça branca. Sobre os cabelos curtos, via-se um chapéu dourado, pouco comum.

Me aproximei da imagem e observei melhor os detalhes da mulher que dava nome à nossa escola. Sua história de vida era incrível, e eu me sentia mal por não ter buscado saber dela antes.

— Como podemos ser corajosos e merecedores como ela? — Coloquei as mãos na cintura. Meus olhos estavam grudados no quadro, como se eu esperasse que a imagem abrisse a boca e começasse a me dar as respostas que queria.

— Só de estarmos aqui já deveríamos ser considerados corajosos — Gabriel suspirou.

— Verdade. — Dei uma risadinha. — Mas... e merecedores? Essa palavra soa como um jogo: "Só consegue chegar ao final quem é verdadeiramente merecedor" – tentei fazer voz de narrador de *trailer*. – Isso até parece um filme.

– Será que tem alguém observando e rindo da gente? – Gabriel tentou buscar alguma câmera no teto.

– Isso não tem graça, ok? – falei para o alto, mesmo sem encontrar nada. – Pelo menos, podiam nos dar dicas de como sair.

– Isso não seria nada merecedor. – Ele riu, soltando ar pelo nariz, e fiquei satisfeita por ver que pelo menos estava conseguindo fazer alguma piadinha da situação.

– Não nos resta alternativa senão procurar algo que nos permita sair daqui.

– Sim – ele suspirou. – Somos Juliel ou não?

Suas mãos foram em direção à cintura, e eu sorri.

– No momento, queria muito que não fôssemos. – Tapei a boca, escondendo a risada. – Quem foi que inventou esse absurdo?

– Não é possível que você... – Ele balançou a cabeça enquanto passava a mão pelo *black power*.

– É brincadeira! Vamos logo terminar essa missão! – Bati uma mão na outra para nos apressar. – Mas antes, precisamos de algo.

Ergui um dedo e Gabriel me observou, atento.

– Juliel: prontos pra arrasar! – gritei, levantando o punho cerrado à frente e imitando o gesto de Gabriel.

– Você nunca vai esquecer isso, né? – Ele empurrou minha mão de brincadeira.

– A culpa não é minha se você é um bobo... – Dei mais algumas risadas, mas logo me recompus. A piada podia ser boa, mas ainda estávamos em apuros.

Gabriel também ficou sério, e começamos a buscar uma solução.

A estratégia envolveu analisar toda a sala vermelha em busca de algum objeto fino, ou mesmo uma chave, – que possibilitasse a abertura da porta. Nos separamos para agilizar, e corri ao que mais havia chamado minha atenção: a espada. De tão majestosa, parecia um monumento no centro da sala, iluminado pelo lustre exuberante.

Uma camada grossa de vidro a protegia, como fazem com as peças raras nos museus, e uma base grande de madeira fazia com que o conjunto tivesse altura um pouco maior que a minha.

Ao ver aquilo, me veio na memória a foto que um dos nossos colegas tinha levado para a feira de História. Na imagem, havia uma estátua de Maria Quitéria com o braço erguido e uma espada na mão, e me perguntei se aquela à minha frente realmente tinha sido a dela. Logo que me virei para o quadro, porém, observei que ela portava uma arma de fogo. O que será que usava nas batalhas?

Então, me surgiu uma ideia: e se conseguíssemos utilizar a espada para romper a porta e nos libertar?

Toquei o vidro mais uma vez, tentando encontrar alguma forma de abri-lo, mas era grosso demais. Me voltei para a base de madeira em busca de alguma instrução de como fazer o vidro ceder, mas tudo o que vi foi um buraco com um formato estrelar.

Deixei a espada de lado quando percebi que não seria útil para nos livrar da Sala Secreta e voltei minha atenção para o baú grande. Tinha um pouco de poeira por fora e parecia pesado, o que aguçou minha curiosidade de descobrir o que tinha dentro.

Forcei a tampa para cima e me desapontei de novo ao ver que estava trancado por um cadeado. Esfreguei as mãos, tentando me livrar da sujeira, e comecei a ficar irritada com as interrogações que se formavam em minha cabeça.

Alguns passos adiante, observei um painel com o mapa do Brasil. Em cada estado havia um buraquinho redondo, em que não cabia nem a ponta do meu dedo mindinho. Tentei entender o que eram, mas percebi que só crescia a extensa lista de coisas que não seriam úteis para sairmos da Sala Secreta.

Continuei minha busca e parei diante de uma estante com livros e objetos decorativos. Folheei dois volumes e li algumas coisas sobre as guerras de independência contra Portugal, que se seguiram depois do grito de Dom Pedro I.

– Viu isso? – perguntei a Gabriel. – Quem sabe não é o acervo importante que queria encontrar?

Meu amigo, que estava sentado em uma das cadeiras chiques, ergueu os olhos, parecendo interessado.

– Ah, que legal, vou olhar – Gabriel se animou, mas percebi que não veio correndo em direção à estante, pois sua atenção parecia voltada para outra coisa.

– O que você tá fazendo? – me aproximei quando vi uma caixa preta em sua mão.

– Achei isso em cima da mesa. – Ele sacudiu o objeto. – Tá escutando? Parece ter várias coisas aqui. Quem sabe não tem um grampo ou um clipe que possa nos ajudar com a porta...

– E não abre? – franzi a testa, sem entender por que Gabriel fazia suposições sem conferir.

– Está trancada por um código de quatro números. – Ele me mostrou quatro rodinhas localizadas no meio e, virando a caixa ao contrário, leu a dica da senha. – Aqui diz que é um ano. Já tentei algumas possibilidades, mas, matematicamente, existem muitas. Gastaríamos tempo demais. – Ele largou a caixa em cima da mesa outra vez e suspirou. – E você? Encontrou algo útil?

– Nada – neguei, decepcionada. – Tá tudo trancado.

— Não tenho mais ideias. — As sobrancelhas de Gabriel se uniram e os lábios se cerraram, preocupados.

— Calma. — Peguei a caixa de novo. — Existem várias possibilidades, mas talvez a gente possa tentar algumas mais óbvias. — Dei de ombros. — Se essa sala está ligada à Maria Quitéria, quem sabe não pode ser... — Coloquei o dedo no queixo, tentando pensar. — O ano em que ela nasceu? Ou morreu?

Chutei as alternativas que me vieram à cabeça.

— E você sabe que anos são esses? — Gabriel apoiou os braços na mesa.

— Não... — Dei uma risadinha. — Mas podemos tentar descobrir.

Afastei a cadeira e voltei para a estante, em busca do livro sobre as guerras. Quando encontrei, levei-o até meu amigo. As páginas nos trouxeram alguma chama de esperança, pois continham diversas datas, a maioria do século XIX.

Não conseguimos achar nada sobre Maria Quitéria, mas decidimos tentar alguns anos que estavam ali. Os dos capítulos iniciais, que explicavam alguns contextos brasileiros, não nos deram a combinação correta, mas quando alcançamos o capítulo "O grito do Ipiranga" e vimos *1822*, não hesitamos em girar as rodinhas.

Para nossa surpresa, a tampa cedeu, e eu bati palmas de alegria.

— Ah, o ano da Independência! — Gabriel apontou para mim, como se tivesse tido uma grande sacada.

— É como dizem: felicidade de pobre dura pouco — reclamei enquanto xeretava o conteúdo da caixa. — Nada de clipes, grampos ou qualquer coisa pra nos tirar daqui.

Espalhei todo o conteúdo da caixinha em cima da mesa, desistindo de procurar, quando percebi que tinha apenas peças de uma quebra-cabeça antigo.

Gabriel avaliou-as com cuidado e largou em seguida.

— Você acha que existe uma mísera chance de alguém vir nos salvar? — perguntou, preocupado.

— Bom... — puxei o ar enquanto as ideias se organizavam em minha cabeça. — Primeiro, precisam dar pela nossa falta. Segundo, precisam encontrar a porta vermelha aberta e imaginar que entramos. Terceiro, precisam encontrar a tampa de ferro aberta ao lado do armário e, mais uma vez, imaginar que descemos. Depois, precisam passar pelo labirinto e, finalmente, abrir essa porta e nos tirar daqui.

— Estamos mortos, Júli — ele disse em desespero, colocando as duas mãos no rosto.

— Quanto tempo será que conseguiríamos durar aqui? — Fui em direção à minha mochila. — Tenho essa caixinha de suco e um pacote de biscoitos que não terminei de comer. E você?

— Tenho metade do pão com manteiga da cantina e esse resto de água na garrafinha.

— Não é um banquete, mas podemos nos virar um pouco. — Dei de ombros, tentando parecer descontraída. — Escuta, quando perceberem que a gente sumiu, vão chamar a polícia, que vai ser esperta o suficiente para nos encontrar. Douglas vai dizer que a última vez que nos viu foi no último horário, antes de entregar o molho de chaves à Terezinha, e ela vai falar que nunca devolvemos. Então eles vão começar a buscar pela escola. Pode ser que a Rosana conte que nos encontrou perto da sala 7 naquele dia! — falei, tentando ser o mais positiva possível. — E o molho de chaves está lá, bem na porta!

— Verdade! — Gabriel se animou. — Daí, vão ver que a tampa está aberta, afinal, são policiais!

Ele se mexeu na cadeira, agitando as mãos.

— E então vão abrir aquela porta ali. — Apontei. — E estaremos salvos! — Bati palmas, na expectativa de que nossa

história se concretizasse. – Nem vou reclamar da ocorrência que vamos receber. Talvez até beije os pés da Rosana...

Gabriel começou a rir, e percebi que havíamos criado alguma esperança.

– Minha avó vai me xingar tanto... – ele pensou alto enquanto mexia despretensiosamente nas peças em cima da mesa. – Vai ser meia hora de sermão sobre como eu deveria focar nos estudos e não fazer bagunça na escola.

– E minha mãe vai dizer o quanto ela queria ter tido a oportunidade que eu tenho de estudar e de ter uma vida diferente – suspirei, chateada.

Odiava escutar essa história, porque sabia que minha mãe tinha sido muito injustiçada: era inteligente demais e não pôde aproveitar para mudar de vida. Odiava ainda mais quando ela realmente se decepcionava comigo.

Enquanto meus pensamentos vagavam, distantes, observei que Gabriel encaixava algumas peças do quebra-cabeça e me aproximei para ajudá-lo. Se precisávamos esperar até que alguém nos encontrasse, pelo menos podíamos matar aquele tempo de alguma forma.

Sem muita empolgação, avançávamos com as peças em silêncio. Embora fôssemos muito falantes, nenhum dos dois tinha ânimo para começar qualquer assunto depois de pensarmos na decepção das nossas famílias. Não sei dizer quanto tempo passamos tentando montar o quebra-cabeça, mas logo percebi que, quando estivesse pronto, encontraríamos algo escrito.

– Morte? – li a primeira palavra que apareceu com a junção das peças.

Debruçados sobre a mesa para analisar melhor, nos entreolhamos quando Gabriel percebeu que eu não tinha lido errado. Estava mesmo escrito "morte".

Se antes montávamos o quebra-cabeça apenas por falta do que fazer, depois que vimos a palavra, nossa atenção se voltou totalmente para a tarefa. Começamos a nos apressar para poder ler o que quer que estivesse ali.

Entre erros e acertos, mais duas palavras apareceram, e, ao final, o enigma soletrava a frase "Independência ou morte".

– Ah! Foi o que Dom Pedro I falou quando declarou a Independência do Brasil, por isso a senha era 1822 – concluí quando terminamos, percebendo que a frase não era nenhuma ameaça para nós.

Observei a imagem do quebra-cabeça, orgulhosa do nosso trabalho. Apesar de antigo, ainda dava para ver que a ilustração reproduzia um quadro famoso sobre a Independência. Havia vários homens a cavalo, e um deles – Dom Pedro I – erguia uma espada.

Dei uma risadinha quando me lembrei da professora dizendo que, na verdade, a proclamação não tinha sido pomposa daquele jeito. O imperador estava em uma mula e com dor de barriga – talvez por isso tivesse parado às margens do rio Ipiranga. Se às vezes é difícil encontrar banheiro na estrada, hoje, imagina naquela época!

– E esse livro? – Gabriel apontou para uma parte da imagem, e parei para observar. – Quando a professora mostrou o quadro na aula, não lembro de ter visto isso.

Ele franziu o cenho e mordeu os lábios, focado naquele objeto intruso.

Analisei a capa verde e tive a impressão de já tê-lo visto. De repente, um lampejo iluminou minha memória, e meus olhos voaram em direção à estante da sala. Levantei da cadeira num salto e voltei a analisar cada uma das capas.

– É esse? – ergui o livro e perguntei, eufórica.

– Parece que sim...? – Sua frase terminou em descrédito.

Sem pensar duas vezes, Gabriel e eu avançamos pelas páginas para descobrir do que se tratava.

– Que legal, é um livro sobre heroínas da Independência! – A boca do meu amigo se transformou em um "O" e suas sobrancelhas se ergueram.

Curiosos, não conseguimos evitar devorar as três histórias, que chamaram muito nossa atenção.

A primeira era de uma mulher branca, a madre Joana Angélica, que acabou se tornando mártir em Salvador depois de tentar defender o convento dos soldados portugueses. Ela morreu buscando salvar as irmãs, que conseguiram fugir. Então, o clima na cidade ficou ainda mais tenso entre portugueses e brasileiros que desejavam a independência.

Depois lemos sobre Maria Felipa, uma mulher negra da Ilha de Itaparica, também na Bahia, que liderou várias pessoas na resistência contra os portugueses. No livro havia vários detalhes do episódio em que ela se juntou a algumas mulheres para distrair os portugueses enquanto outros aliados botavam fogo nas embarcações.

– Que corajosa! – Eu estava empolgada.

Por fim, chegamos a Maria Quitéria, e foi muito legal ler mais detalhes de sua história.

– Caramba! Ela liderou um exército de mulheres que lutou dentro de um rio! – exclamei, incrédula, enquanto líamos sobre a batalha da foz do Rio Paraguaçu.

– E olha essa história aqui da Batalha de Pirajá, em que a Maria Quitéria esteve! – Gabriel apontou. – O comandante mandou o corneteiro avisar que era pras tropas brasileiras recuarem, mas ele desobedeceu e tocou a ordem de avançar com a cavalaria. Não tinha cavalaria nenhuma, mas os portugueses acreditaram e fugiram.

Gabriel riu gostosamente dessa enganação.

– Brasileiros dando um jeitinho desde sempre – balancei a cabeça, repetindo o que minha mãe costumava dizer.

No fim do livro, junto às imagens das heroínas, encontramos uma tachinha vermelha pregada. Eu a removi e a coloquei na palma da mão para observar melhor, sem entender o que estava fazendo ali.

– Será que dá pra abrir a porta com isso? – propus assim que vi sua ponta afiada.

– Vamos tentar! – Gabriel deu um pulo, como se tivesse fogo em sua cadeira, e correu em direção à porta.

Cutuquei a fechadura algumas vezes, fazendo mil promessas caso funcionasse: quarto arrumado por um mês, dever de casa feito no dia em que o professor passasse e nada de brigas com meus irmãos por três semanas. Ou melhor, duas.

Mas logo vi que aquele não era o objeto milagroso que nos tiraria da Sala Secreta.

– Quer tentar? – ofereci a tachinha a Gabriel.

Enquanto ele se concentrava na porta, percorri todo o cômodo, desapontada com a rapidez com que a esperança tinha ido embora.

Por fim, sentei no chão, ao lado da porta, e me encostei na parede, encarando aquela sala exuberante. Onde eu havia nos metido? Por que tinha insistido nessa história de Sala Secreta?

CAPÍTULO 18

Gabriel

DESISTI DA TACHINHA quando vi que não havia movido um milímetro da fechadura. Então, me sentei no chão, ao lado de Júli.

— Me desculpe — disse ela, de repente. — Por tudo.

Me virei para ela, tentando entender por que estava se desculpando. Pela sua expressão, vi que estava muito arrependida.

— Você é o meu melhor amigo, fazemos quase tudo juntos há anos, e, na primeira chance, duvidei da sua amizade. Eu não devia ter falado com você daquele jeito, você não merecia ter escutado aquelas coisas.

— Júli... — comecei.

— Não, Gabriel, é sério. Você não precisa limpar minha barra. Sei que errei com você, e há dias venho pensando em como começar essa conversa. Eu precisava me desculpar de verdade.

— Você estava nervosa com toda essa história do fechamento do Maria Quitéria — tentei justificar.

— Sim, mas isso não me dava o direito de duvidar da sua amizade. Sua avó estava fazendo o melhor por você. Você é um excelente aluno, tem um futuro brilhante pela frente, é óbvio que merece a melhor escola do mundo!

Se minha família tivesse condições de pagar minha passagem, eu também iria estudar no centro.

— Minha avó só tem como pagar porque minha mãe manda dinheiro de fora, mas, para ser sincero, eu preferia não ter esse dinheiro extra e poder ter uma família unida como a sua.

— Você sente falta da sua mãe, né? — ela abaixou o tom de voz, sentindo que esse era um terreno complicado.

— Costumo dizer a mim mesmo que não, que tá tudo bem, que minha mãe é a minha avó, mas... — Parei de falar, tentando encontrar o melhor jeito de verbalizar aquilo. — Não é que eu não ame a minha avó, nada disso! Foi ela quem me criou, e ela é tudo pra mim, de verdade!

— Eu sei, você é apaixonado pela dona Lúcia.

— Sim, mas eu já não tenho pai, aí fico sem mãe também? Queria poder ter minha avó *e* minha mãe comigo.

— Eu imagino.

— Acho que às vezes me sinto meio abandonado, tanto por meu pai, que nem se interessou por saber quem eu era, quanto por minha mãe, que, mesmo me conhecendo, escolheu ir morar em outro país. Parece que eu sobrei pra minha avó, entende? Isso me faz questionar se o problema sou eu.

— Claro que não, Gabriel! — ela disse, tocando meu ombro. — Você é uma das pessoas mais incríveis que eu já conheci na vida! Tô falando sério! Você é um amigo super parceiro, olha onde você tá! E tudo porque decidiu seguir minhas bizarrices! Se seus pais não estão do seu lado agora, isso não tem nada a ver com você. O problema é deles, que perderam a oportunidade de conhecer alguém tão incrível!

Meus olhos se encheram de água com a fala de Júli. Nunca tinha conversado sobre isso com ninguém, e falar o que eu sentia em relação à minha família me deu um alívio, de certa forma.

– Obrigado, você é uma ótima amiga também.

– Mas não foi isso que eu demonstrei essa semana... Sério, me desculpe.

– Tá tudo bem, de verdade. – Balancei a cabeça para que ela acreditasse em mim.

– E obrigada por entrar nessa comigo. Aliás, por que você mudou de ideia sobre a missão?

– Pra te distrair – respondi, segurando uma risada.

– O quê?! – Ela levou as mãos à cintura, fingindo estar indignada.

– A Rosana foi muito enfática ao dizer que a gente devia evitar qualquer atrito com Humberto e deixar que ela tentasse resolver as coisas, mas eu te conheço, né, Júlia Castro? Eu sabia que você ia conseguir manter a promessa por, sei lá, dois dias, só pra depois criar um protesto ainda maior que o último. Então, pensei: e se eu arrumasse um jeito de colocar a energia da Júli em outra coisa? Assim cumpriríamos a promessa. Quero dizer, cumpriríamos uma e passaríamos por cima da outra, já que prometemos à Rosana que não iríamos dar mais nenhum trabalho esse ano.

– Calma, então você voltou à missão só pra se assegurar de que eu não me envolvesse em nada sobre o fechamento da escola?

O queixo dela caiu, e eu ri.

– Basicamente.

Ela deu um soquinho em meu ombro.

– Você me manipulou!

– Não, eu te salvei de problemas com Humberto, isso sim!

– Eu pensei que tivesse se animado pela curiosidade.

— Ah, isso também... – resolvi confessar. – Quando você contou sobre o sonho interrompido pelo despertador, pensei: "Hummm... o que será que tem lá dentro? E o acervo literário secreto?".

Júli deixou uma gargalhada escapar, e fui contagiado.

— Inclusive, deveríamos olhar melhor aquela estante ali. Agora estou convencido de que temos vários tesouros do século XVIII e XIX – declarei, tentando calcular a quantidade de obras raras que poderíamos descobrir.

— Não é como se eu tivesse muita coisa pra fazer enquanto esperamos alguém nos salvar. – Ela deu de ombros, debochada.

— Você me deve essa. – Ofereci minha mão para erguê-la.

Começamos a vasculhar a estante. Alguns livros tinham as folhas tão amareladas que só podiam ser mesmo de quase duzentos anos atrás. Era inacreditável!
Eu estava *realmente* encostando em uma obra rara!

— Olha isso, Júli! São cordéis do século XIX! — falei, admirado, e ela veio ler comigo.

— Gabriel, você não acha muito estranha essa coisa de colonização? — Júli perguntou, encucada. — Os indígenas estavam aqui numa boa, de repente chegaram os europeus falando que "descobriram" uma terra nova, como se não tivesse ninguém aqui. Pra piorar, eles mataram muita gente, escravizaram os negros e os indígenas e ainda levaram nosso ouro embora!

— E séculos depois ainda tivemos que lutar pela independência! — completei.

— Imagina quanta gente sofreu e morreu... — ela comentou, triste. — Minha avó me contou que a avó dela foi escravizada. Você precisava ouvir as histórias horríveis que ela conta pra gente.

— Você às vezes não tem a impressão de que as coisas que aprendemos na escola aconteceram em outro mundo? Mas, se pararmos pra pensar, tem coisa muito perto da gente. Olha isso, sua avó teve contato com uma pessoa que foi escravizada. Na minha cabeça, a escravidão acabou há tanto tempo...

— Será que é possível conhecer alguém que conheceu a Maria Quitéria? — Os olhos dela brilharam com a possibilidade.

— Acho que aí já é demais, porque, de acordo com esse livro aqui... — Tentei buscar um título que estava olhando minutos antes. — Maria Quitéria nasceu no final do século XVIII.

— Pode ser que tenha algum tataraneto dela ou da Maria Felipa, então.

— Imagina que legal!

Nossa conversa foi interrompida quando escutamos um estalo vindo do teto. Encarei Júli para me certificar de que ela também tinha ouvido, e seus olhos arregalados confirmaram que eu não estava alucinando.

CAPÍTULO 19

Júlia

NÃO SOUBE DIZER exatamente o que era, mas o som que tínhamos ouvido parecia o de algum objeto caindo no chão. De algum modo, aquilo me encheu de esperança: será que havia alguém logo acima de nós?

— E se a gente tentasse gritar? — propus, com o coração a mil. Aquela era uma chance que não poderíamos perder.

— Será que estamos embaixo de uma sala, ou algo assim?

— Pode ser... Talvez a gente devesse não só gritar, mas também tentar cutucar o teto. Se ouvimos um barulho vindo de cima, a pessoa pode ouvir algo vindo de baixo.

— E como vamos alcançar o teto?

Olhei ao redor em busca de algo que pudesse nos ajudar, e parei quando meus olhos alcançaram a mesa em que montamos o quebra-cabeça.

— Júli, não! — Gabriel falou, desesperado. — Tudo aqui é super velho! E se a mesa cair e você se machucar, o que vamos fazer?

— Mas precisamos nos agarrar a essa chama de esperança! Temos que correr, antes que a pessoa lá em cima vá embora!

Sem dar ouvidos aos protestos do meu amigo, corri para subir na mesa. Ela deu uma cambaleada, e fiquei um pouco nervosa.

— Segura aí! – gritei para Gabriel, que já tinha desistido de tirar a ideia da minha cabeça.

Ele segurou a mesa com as duas mãos, dando uma estabilidade maior, e consegui ficar de pé. Quando tentei alcançar o teto, porém, ainda havia uma distância significativa, e não consegui bater.

— Que saco! – bufei. – Não tem nenhuma vassoura ou algo assim por aí, né?

Mais uma vez, vasculhamos a sala com o olhar, tentando encontrar qualquer coisa que pudesse ser útil, e minha mente deu um estalo quando tive uma ideia.

— Já sei! – exclamei, descendo da mesa.

— Quando você faz essa cara, nunca é boa coisa...

Gabriel estava visivelmente preocupado, e eu não contive o riso.

— Calma, vai dar certo – garanti enquanto pegava uma das cadeiras de estofado à moda antiga e a colocava em cima da mesa.

— Não, Júlia, não! Isso não vai dar em boa coisa! – Gabriel levou as mãos à cabeça, desesperado. – Não é possível que você não tenha medo de nada!

— Tenho medo é de ficarmos presos aqui pra sempre, isso, sim! – respondi, já me preparando para subir de novo. – Anda, vem segurar de novo, ou você quer que eu caia?

— *Eu* não quero que você caia, já você... parece que acha que isso não vai acontecer! – ele disse enquanto segurava a mesa, contrariado.

Tomando o maior cuidado, subi na mesa mais uma vez, peguei a caixinha preta do quebra-cabeça e subi na cadeira, ficando finalmente na altura certa. Com a caixinha, comecei a bater no teto e a gritar.

— OLÁ! TEM ALGUÉM AÍ? ESTAMOS PRESOS AQUI EMBAIXO!

Dei uma pausa para tentar ouvir alguma resposta e escutei um sussurro vindo de baixo. Olhei para Gabriel, que parecia fazer uma oração, de olhos fechados. Dei uma risadinha, torcendo para que ele não percebesse que eu estava achando aquilo engraçado.

— OLÁ! TEM ALGUÉM AÍ? — voltei a bater no teto, só que com mais força.

Nada.

— ESTAMOS PRESOS AQUI! — bati mais forte ainda, e a cadeira balançou em cima da mesa.

Silêncio — exceto, é claro, pelos sussurros de Gabriel.

— Júlia, por favor, desce! — ele pediu quando a cadeira deu mais uma titubeada.

Resolvi fazer o que meu amigo pedia quando percebi que não receberíamos nenhuma resposta de lá de cima. Estava impaciente por mais uma tentativa ter falhado.

— Você é muito imprudente, sabia? — ele ralhou.

— E você é muito preocupado, sabia? — zombei, apertando suas bochechas. — Eu tô viva, não caí, tá tudo bem. Quero dizer, nem tudo... Ainda estamos presos nessa sala do século XIX.

— Acho melhor voltarmos a nos distrair com os livros enquanto esperamos o resgate chegar. É mais seguro, pelo menos.

Dei de ombros, sem ter outra opção, mas não voltei à estante. Tinha algo naquela sala que precisávamos entender. Não sabia dizer o que era, mas eu tinha a sensação de que estávamos deixando alguma coisa passar.

Me esforcei para lembrar o que os alunos do 9º ano tinham dito sobre a Sala Secreta, e a voz de um deles ecoou em minha cabeça: "Só consegue sair da Sala Secreta aqueles que são verdadeiramente *corajosos* e *merecedores*, como Maria Quitéria". Ele tinha dito, ainda, que qualquer outra pessoa ficaria presa eternamente.

– O que significa "ser merecedor como Maria Quitéria"? – pensei alto enquanto vagava de um lado para o outro.

Que tipo de desafio tínhamos que enfrentar ali para não ficarmos "presos eternamente"?

Parei de andar quando avistei a tachinha vermelha no chão. Peguei-a para observar mais de perto e fui em direção ao livro das heroínas em cima da mesa, onde também estavam a caixinha preta e o quebra-cabeça.

Varri a sala com os olhos e observei mais uma vez a espada protegida pelo vidro, com aquele buraco em forma de estrela embaixo. Depois, me voltei para o baú trancado, o quadro de Maria Quitéria, a estante cheia de livros, o mapa do Brasil com vários furinhos, a caixa preta e o quebra-cabeça, e parei por um momento para pensar. Com um código, abrimos a caixa. Com o quebra-cabeça, chegamos ao livro verde e, nele, encontramos a tachinha vermelha.

Era isso! A sala tinha uma sequência de mistérios! Só podia ser!

Não seriam cutucadas na fechadura ou no teto que nos fariam ser merecedores, muito menos sentar e esperar alguém nos socorrer. Ser merecedor significava desvendar os mistérios da Sala Secreta.

E eu podia sentir que estávamos rodeados por eles.

CAPÍTULO 20

Gabriel

CADA MINUTO A MAIS dentro daquela sala me deixava mais nervoso. O medo de ninguém nos encontrar fazia meu coração pulsar violentamente. Podia sentir o sangue fluindo tão rápido quanto carros de Fórmula 1 numa corrida.

Eu sabia que era só uma reação do corpo, como quem diz "corra, fuja, você está em perigo!", mas, quando olhava ao redor, só conseguia me perguntar por onde poderia fugir. Como não encontrava resposta, a saída foi me esforçar para me distrair com aqueles livros antigos, ainda que, às vezes, chegasse a ler o mesmo parágrafo três vezes, sem conseguir focar.

– Gabriel! – Júli correu em minha direção parecendo empolgada. – Acabei de pensar em uma teoria, e a gente precisa se esforçar pra conferir se tá certa!

– Por favor, que a sua teoria não envolva nada perigoso! – falei, desconfiado. Toda vez que Júli tinha uma "ideia", meu coração palpitava mais forte ainda. Seus planos eram sempre arriscados.

– Veja bem. Um código nos permitiu abrir a caixa. A caixa nos mostrou um quebra-cabeça. O quebra-cabeça nos levou ao livro. E o livro nos deu isso. – Ela pegou a tachinha vermelha e ergueu. – A Sala Secreta é um conjunto de mistérios, e os merecedores são aqueles que os desvendam!

Júli arregalou um pouco os olhos e tentou esconder um ímpeto de satisfação.

Como eu podia estar morrendo de medo enquanto ela se empolgava?!

– Diga que faz tanto sentido pra você quanto pra mim! – Ela juntou as mãos e fez um biquinho.

– Não sei. – Ergui os ombros. – Mas podemos tentar, não temos muitas alternativas.

– Ótimo! – Júlia bateu palmas e eu ri, soltando o ar pelo nariz e desejando ter metade de sua confiança. – Bom, já vimos que essa tachinha não abre a porta, mas... quem sabe não abre o baú?

Nos ajoelhamos para testar.

Um cadeado dourado trancava o baú, e minha amiga tentou girar a ponta fina da tachinha para fazer com que cedesse. Júli apertava, rodava, forçava... mas nada parecia funcionar.

Então, voltamos nosso foco para a espada. Comecei a buscar qualquer espacinho para colocar a tachinha, mas só encontrei um buraco bem maior na base de madeira, mais nada.

– Ai, que saco! – Júli bateu o pé no chão, irritada com a nossa segunda derrota. – Não é possível que seja tão difícil assim!

– Que tal comermos alguma coisinha? – sugeri quando ouvi algo próximo ao rugido de um leão em seu estômago. – Com certeza vamos pensar melhor de barriga cheia.

– Como se a gente tivesse comida suficiente pra encher alguma coisa. – Ela balançou a cabeça e tirou da mochila o pacote de biscoitos.

Nos sentamos à mesa e tentamos fazer o máximo de racionamento possível. Estávamos morrendo de fome, é verdade – afinal, já havia bastante tempo que estávamos ali –, mas também não tínhamos a menor noção de quando haveria outra oportunidade de conseguirmos alimento.

– Três pra cada. – Júli ofereceu os biscoitos.

– E uma mordida no pão. – Entreguei o pacote a ela.

– E um golinho de suco pra não descer seco demais.

Mas bastou colocar o lanche na boca para percebermos que não tinha como parar. Nossa última refeição havia sido no recreio, e, mesmo tendo sido feijoada, quase cinco horas já tinham se passado.

– Se a gente ainda não estava dando nosso máximo pra sair daqui, o momento é agora – disse Júlia, enchendo a sala com o barulho do pacote de biscoito para mostrar que estava vazio. – Não temos mais nada pra comer, o que talvez signifique que precisamos assistir mais àqueles programas de sobrevivência na selva. Com certeza, comer toda a comida disponível não faz parte das dicas principais.

– Entrar numa sala misteriosa também não – provoquei, e Júli desmontou aquele ar brincalhão, endurecendo a fisionomia.

– Eu já pedi desculpas por isso.

– Tá, então vamos focar em descobrir onde essa coisinha deve entrar – apontei para a tachinha vermelha e me levantei. – Porque não temos muito tempo até as lombrigas da sua barriga precisarem de uma nova refeição.

Júli puxou o ar para responder, mas depois balançou a cabeça, rindo.

– Vamos acabar logo com isso, seu bobo.

De volta à missão, retornamos as buscas pelo buraco da tachinha.

Já havíamos excluído o baú e a espada, e decidi buscar em objetos menos óbvios. Fui em direção ao quadro de Maria

Quitéria na esperança de encontrar algo diferente, como o livro no quebra-cabeça.

Passei os dedos pela moldura, observei cada detalhe da tinta, me afastei, olhei para um lado, depois para o outro, voltei a me aproximar e... nada.

– Olha isso – ouvi Júli chamar, e percebi que ela encarava um painel com o mapa do Brasil. – Será que...?

Suas reticências me fizeram chegar mais perto. Júli apontou para uns buraquinhos visíveis em cada estado e ergueu a tachinha vermelha com a outra mão.

– Cabe? – perguntei, sem conseguir esconder a chama de esperança que se acendia em mim.

Júli escolheu um furo aleatório e encaixou o objeto. Nos encaramos por alguns segundos, esperando que algo acontecesse, mas a Sala Secreta continuava tão trancada quanto antes.

– Calma, coloquei no furinho do estado de... – Ela se aproximou para ler. – Mato Grosso do Sul. Vamos tentar outro... – Minha amiga retirou a tachinha com cuidado e escolheu aleatoriamente outro estado.

Minas Gerais, Roraima, Santa Catarina, Piauí... Mas tudo parecia tão imóvel quanto antes.

Júli parou com a mão no queixo e ficou pensando por um instante.

– Nós encontramos essa tachinha naquele livro sobre heroínas da Independência. – Ela começou a ordenar as informações, tentando elaborar alguma teoria. Júli gostava disso. – E nele tinha a história de três mulheres de cidades diferentes, mas...

Minha amiga olhou para mim com um sorriso, esperando que eu captasse.

– Mas o quê? – Girei a cabeça sem entender.

– Eram do mesmo estado! – Ela arregalou os olhos, empolgada. – Joana Angélica, Maria Felipa e Maria Quitéria, todas são baianas!

Júli se virou novamente para o mapa e posicionou a tachinha bem em cima da Bahia.

Bastou conectar o objeto no painel para um clique alto estalar na sala. Me virei com urgência, buscando a origem do som, e não pude evitar que meu queixo caísse quando percebi que o quadro de Maria Quitéria, que eu estava olhando minutos antes, tinha se aberto como uma porta, revelando um buraco na parede.

– Meu Deus! – gritei, sem esconder o susto.

– Isso! – Júli bateu palmas, pulando. – Eu sabia que essa tachinha faria algo por nós!

Corremos na direção do quadro e percebemos que, no buraco da parede, havia uma caixinha de veludo preta, como aquelas em que se colocam as alianças antes do casamento.

Minha amiga não hesitou em agarrar o objeto e sanar nossa curiosidade. Naquele momento, eu conseguia sentir meu coração bater em todas as partes do corpo, tamanho nervosismo. A cada passo que dávamos, meu desespero aumentava. Será mesmo que conseguiríamos sair dali?

– Uma chave! – Júlia gritou logo depois de abrir a caixinha. – Estamos livres! Livres!

Pulando de alegria, ela beijou a chave dourada.

– Amém! – bati palmas, entrando no clima.

Minha amiga deixou a caixinha de veludo de lado e foi em direção à fechadura. Meu corpo tremia como se a temperatura tivesse ido abaixo de zero. Frio na barriga não era uma expressão razoável para mim; "Polo Norte no corpo todo" talvez descrevesse melhor o que eu sentia.

Júli se abaixou um pouco para encaixar a chave, e eu tentei me acalmar esfregando uma mão na outra e fechando os olhos. Só queria ouvir o som da maçaneta girando e dando acesso à saída. Já podia ver a luz no fim do túnel.

Decidi abrir os olhos quando percebi que Júli estava demorando demais para anunciar o sucesso.

– O que foi? – Me aproximei.

– Não entra. – Ela expirou, soltando os ombros, e depositou a chave na minha mão. – Nem virada pra baixo, nem pra cima. A chave não é dessa porta.

Encarei aquele pequeno objeto dourado em minha mão e me questionei quantas vezes mais aquela sala nos pregaria peças.

– Bom, pelo visto, pra sair daqui precisamos ser corajosos, merecedores e muito, mas muito pacientes! Talvez eu esteja certo e tenha alguém nos observando por câmeras só pelo prazer de nos ver falhando.

– Será que o som que ouvimos era dessa pessoa? – ela perguntou, com os olhos semicerrados, e gritou para o teto, buscando uma câmera: – Se conseguirmos sair daqui, a primeira coisa que faremos é acabar com você!

– Não tenha dúvidas! – Segui o ímpeto de descontar a frustração no desconhecido, mas depois decidi me concentrar na chave.

Se não abria a bendita porta, tinha que servir para alguma outra coisa. Dei uma volta pela sala, mas não precisei de muito para ter a ideia de testá-la no cadeado do baú. O dourado brilhante dos dois parecia o mesmo, pelo menos.

Júli se aproximou, interessada, quando entendeu minha ideia.

– Realmente, a gente não podia sair dessa sala sem saber o que tem aí.

Suas feições pareciam mais tranquilas, e ela se ajoelhou junto comigo.

Peguei o cadeado com a mão esquerda, verifiquei qual era o lado para introduzir a chave e gritei, alegre, quando a mola da fechadura cedeu, nos permitindo abrir o famigerado baú.

— Isso! — Júli fechou o punho e movimentou o cotovelo para baixo, em comemoração. — Pequenas vitórias!

— Lá vamos nós para o próximo passo desse mistério...

— Respirei fundo e terminei de levantar a tampa.

Não tive dúvida de que nossos esforços tinham valido a pena ao ver o conteúdo valioso daquele baú. Havia documentos bem antigos sobre Maria Quitéria, seu batalhão e sua família, roupas da época e um medalhão chamativo.

— Meu Deus! — Minha amiga levou a mão à boca enquanto cada item ia se revelando. — Será que isso tudo é original, Gabriel?

Seus olhos ainda estavam esbugalhados quando se virou para mim, aguardando uma resposta.

— Não faço a menor ideia, mas olha! — Mostrei um dos documentos que havia encontrado e que parecia ser bem velho. Quando parei para ver o que era, fiquei ainda mais empolgado — Nossa! Lembra que o pessoal da nossa turma contou que Dom Pedro I escreveu uma carta para o pai da Maria Quitéria, pedindo que perdoasse a filha?

— Lembro! — Ela assentiu com a cabeça algumas vezes, correndo os olhos pelo papel que eu segurava. — Oh! É a carta! Assinada pelo próprio imperador! — Júli se levantou e começou a balançar o papel e o corpo numa dança desengonçada e cheia de pulinhos. — Tô encostando onde o imperador encostou! Tô encostando onde o imperador encostou!

Ela se remexia e pulava de um jeito tão engraçado que não consegui conter uma crise de riso.

— Se tem alguém nos observando por uma câmera, com certeza está fazendo xixi nas calças de tanto rir de você — falei entre as risadas, e Júli deu de ombros, sem se importar com o mico que estava pagando.

— Não ligo, não ligo! — ela gritou no ritmo da música recém-criada. — Tô encostando onde o imperador encostou!

— E sabe onde *eu* tô encostando agora? — falei, procurando algo mais legal dentro do baú. — No... — Hesitei enquanto tentava descobrir o que era aquela roupa que segurava. — No saiote verde da Maria Quitéria!

— Ah, não acredito! — Ela voou para perto de mim, e nós dois começamos a encarar o quadro da heroína logo ao lado. — É a roupa dela mesmo!

Júlia tratou de vestir a saia por cima da calça do uniforme. Ainda que estivesse larga em sua cintura, minha amiga começou a agir como se fosse a própria Maria Quitéria, fingindo estar na guerra.

— Independência ou morte! — gritou.

— Quem disse isso não foi ela — zombei.

— Azar! Foi ela quem lutou pra que essas palavras funcionassem na prática — Júli respondeu, segurando a saia com uma mão e fingindo lutar com uma espada imaginária na outra.

— Você é hilária! Vem, vamos continuar olhando aqui.

Voltei minha atenção para o conteúdo do baú e parei para analisar melhor uma medalha redonda com uma estrela no centro.

— Ah, será que é a medalha que Dom Pedro deu pra ela? Acho que os meninos falaram disso também.

— Verdade, tem uma coisa assim mesmo... — Júli se esforçou para lembrar. — Ordem Imperial não sei das quantas.

— Li alguma coisa a respeito no livro verde. — Me levantei e fui até a mesa para buscá-lo, avançando rapidamente pelas páginas até encontrar o nome. — Aqui! Cavaleiro da Ordem Imperial do Cruzeiro. Lembro que os meninos falaram que só gente da mais alta honra ganhava isso aqui.

— E que a Maria Quitéria foi a primeira mulher a recebê-la! — Júli completou. — Não é bizarro que nunca ouvimos falar sobre ela? E a gente estuda numa escola com o seu nome!

— Pois é! Olha essas matérias que saíram nos jornais do Rio. — Peguei alguns folhetos no baú. — Até que fizeram certo alarde na época, mas depois ela simplesmente caiu no esquecimento.

— Isso é tão cruel! Como é que escondem da gente um negócio tão importante assim?! Mesma coisa com as outras duas que vimos no livro, a Maria Felipa e a Joana Angélica!

Júli e eu nos encaramos, refletindo sobre aquilo. Me perguntei quantas boas histórias de heróis e heroínas ainda poderíamos descobrir na nossa História.

— Posso ver? — Júli apontou para a medalha na minha mão, e eu entreguei.

No início, ela apenas olhava com curiosidade, mas, ao passar os dedos pelo objeto, seus olhos se arregalaram e sua boca se abriu. Júlia tinha tido outra grande ideia.

— O que foi?

— Não sei, mas talvez... — Ela desviou a atenção da medalha e voltou-se para a espada no centro da sala. Um sorriso se alastrou pelo seu rosto, e Júli correu até ela.

Eu não fazia a menor ideia do que se passava na cabeça da minha amiga, mas movido pela curiosidade, segui seus passos para descobrir.

CAPÍTULO 21

Júlia

TOCAR EM TANTOS OBJETOS antigos e importantes me fez sentir muito privilegiada. Uma coisa era estudar nos livros didáticos ou ouvir uma história na apresentação de um trabalho, outra bem diferente era poder ver tudo com os próprios olhos.

Aquela medalha tinha me impressionado mais do que todo o resto. Especialmente porque, logo depois de avaliar melhor seu formato redondo, com as pontas de uma estrela saindo pelas bordas, me lembrei do buraco na base da espada.

Minha cabeça imediatamente traçou uma lógica para aquilo tudo. Aquela medalha era entregue somente a heróis (ou heroína, no caso), e qual era o grande símbolo dos heróis? Uma espada!

Corri em direção à do centro da sala, toda imponente, e conferi o tamanho do buraco na base de madeira. Parecia perfeito para encaixar a medalha!

— Você é brilhante! — Gabriel se admirou quando percebeu minha ideia.

Mordi os lábios, sentindo a animação subir pelo meu corpo só de pensar na possibilidade de aquilo funcionar.

Abaixei um pouco para alcançar melhor a base da espada e dei mais uma olhadinha na medalha. Tinha que servir ali!

Aproximei a mão até que o objeto se encaixasse perfeitamente, e nem tive tempo de comemorar: no instante seguinte, o vidro que protegia a espada começou a se abaixar como a janela de um carro.

Boquiabertos, Gabriel e eu arfamos com o susto.

O lustre logo acima do vidro dava um efeito ainda mais teatral à espada. Estávamos impressionados com o que tínhamos ali, bem à nossa frente.

— O que fazemos agora? — Gabriel perguntou, levando as mãos às bochechas.

— Pegamos a espada? — sugeri. — Quem sabe a gente não consegue quebrar a porta?

— E você lá sabe manusear uma espada, Júlia? — Gabriel levou uma mão à cintura e apertou os olhos numa expressão irônica.

— Não é como se eu tivesse indo pra guerra lutar! Não deve ser tão difícil quebrar uma porta. — Dei de ombros, tentando parecer confiante, mas começamos a rir logo em seguida.

— Você sabe que isso não parece uma boa ideia.

Gabriel voltou a encarar a dita cuja à nossa frente e balançou a cabeça, provavelmente imaginando os estragos que eu seria capaz de fazer com uma belezinha daquelas na mão.

— Escuta aqui, eu preciso do meu almoço — falei, decidida.

No entanto, quando me aproximei da espada e coloquei a mão sobre a extremidade mais grossa percebi que a outra parte estava bem firme, e não consegui retirá-la dali. Tudo o que fiz foi movê-la um pouco para o lado.

Estava prestes a reclamar por não ter sido bem-sucedida quando a parede ao lado da estante de livros moveu-se com um estrondo, revelando um pequeno túnel.

— Não é possível! — Gabriel gritou. — Você mexeu na espada e aquela passagem ali se abriu?! Meu Deus!

Como teste, voltei a espada para a posição anterior, e a parede voltou a se fechar como se tivesse recebido um comando. Sorri para meu amigo. Aquela finalmente parecia a nossa saída.

— Posso tentar? — ele se animou, e me afastei para que pudesse tocar na espada.

Bastou Gabriel fazer o mesmo movimento de antes para a parede novamente nos revelar o pequeno túnel ao lado da estante.

Dei alguns passos para examinar a passagem, mas não havia qualquer vestígio de luz. Tivemos que usar as lanternas dos celulares, que não eram lá grande coisa.

— Sei que nossas opções são mínimas. — Ele se colocou ao meu lado e observou a passagem. — Mas não posso negar que tô com medo. E se o fim desse túnel não for a saída? E se cairmos em um lugar pior?

— Nós desvendamos um conjunto de mistérios nessa sala. — Acenei para o espaço à nossa volta. — A espada era a coisa mais chamativa do lugar, e ela nos indicou esse túnel. Temos que confiar que a saída está aqui, que essa é a conclusão de tudo o que descobrimos.

Respirei fundo enquanto fitava meu amigo. Eu também estava com medo de seguir mais um caminho desconhecido e escuro, mas, como ele mesmo tinha mencionado, não havia alternativa.

— Eu vou na frente. — Enchi o peito de ar, tentando encorajá-lo.

— Tudo bem. — Gabriel balançou levemente a cabeça.

Voltei a encarar cada detalhe daquela sala. Fazia sentido o que eu havia dito ao meu amigo, não fazia?

Começamos com a caixa preta, depois o quebra-cabeça, o livro, a tachinha, o mapa do Brasil, a chave, o baú, a medalha, a espada e, por fim, o túnel. Era a sequência dos mistérios da heroína, e provamos sermos merecedores e corajosos como ela, ora! Até o infeliz que supostamente estava nos observando pela câmera deveria estar orgulhoso do que conseguimos – o que não diminuía minha vontade de acabar com ele, caso existisse mesmo.

Depois de repassar mentalmente tudo o que havíamos vivido na Sala Secreta, decidi que tínhamos que passar por mais aquele caminho desconhecido e tentar a sorte.

Além disso, eu realmente precisava do meu almoço.

– Vamos.

Peguei meu amigo pela mão para tentar transmitir alguma confiança e me abaixei um pouco para passar pelo túnel.

Fomos nos guiando pelas lanternas e percebendo que não havia nada ali além de terra e pedra. Pelo esforço que fazíamos, deu para notar que era uma subida.

Gabriel tremia, e sua respiração estava ofegante de tanto nervosismo. Não que eu fosse a tranquilidade em pessoa, mas tentei manter o máximo de calma para fazer com que ele se sentisse ao menos um pouco melhor.

A cada passo, o estresse só se intensificava, e a sensação de não saber aonde chegaríamos fazia meu estômago queimar de ansiedade.

Depois de alguns minutos, Gabriel e eu vimos o que parecia ser um pouquinho de luz do dia à esquerda. Nos viramos rapidamente naquela direção, eufóricos, e não conseguimos esconder a alegria ao perceber uma saída logo acima de nós.

Ele me deu apoio para subir, e consegui remover a grade de metal para passarmos.

— Ai, meu Deus! Conseguimos! – gritei de emoção quando percebi que estava nos fundos da escola, depois da quadra de esportes.

— Ei, me ajuda aqui também! – Gabriel gritou lá de baixo, e me ajoelhei para oferecer a mão a ele.

Quando finalmente escapamos daquele túnel, que parecia infinito, começamos a pular de alegria.

— Estamos vivos! – Ele comemorou, me dando um abraço.

— Vivíssimos! – Compartilhei a alegria do meu amigo.

— Ah, vocês vão ter que me dar dez reais! – escutei uma voz atrás de mim e me virei de repente. – Eu falei que eles iam conseguir, Felipe! Nem você nem a Laís acreditaram!

Fiquei paralisada quando me dei conta de que era o tal trio da 901 que parecia estar nos perseguindo nos últimos dias.

— Poxa, e olha que nós, que somos três, custamos a conseguir! Nunca imaginei que os dois iam dar conta, ainda mais rápido assim. – O garoto parecia genuinamente surpreso.

— Pois eu disse! – A menina jogou as tranças roxas para o lado e esboçou um ar superior. – Quando bati o olho nesses dois, no dia da feira, soube que seriam os próximos!

— Do que vocês estão falando? – Coloquei a mão na cintura e dei um passo à frente. Não aguentava mais ouvi-los conversando sobre nós sem explicar nada.

— É... pensando bem, você tinha razão, Duda – disse a outra menina, provavelmente a tal Laís, citada pela garota das tranças. – Mesmo depois de viver tudo aquilo lá embaixo, ela nem parece assustada. Quando é pra ser, não tem jeito!

Os três pareciam estar fazendo um raio-x de mim e do Gabriel, nos olhando e falando de nós como se não estivéssemos ali, bem na frente deles. E eles continuaram, mesmo depois do meu protesto.

Puxei o ar para exigir explicações novamente, mas Duda, que parecia ser uma espécie de líder do trio, ergueu a mão em minha direção.

— Calma, nós vamos contar tudo — garantiu ela, balançando a cabeça positivamente e nos chamando para sentar no chão.

Eu e Gabriel nos olhamos intrigados, mas acabamos cedendo. Os três pareciam ter algo a dizer.

— Primeiro, parabéns por terem conseguido sair! — Ela bateu palmas. — Estivemos lá há dois anos, sabemos que não é fácil.

— Estiveram?! — Me aproximei, interessada.

— A lenda da Sala Secreta é contada há anos, mas poucos têm coragem de realmente ir a fundo e investigá-la.

— Mas... — Tentei pensar nas milhões de perguntas que se formavam em minha cabeça, mas nada parecia minimamente coerente. — Por quê?

— Bem... — Ela riu da minha confusão. — Vou começar do início.

— Seria ótimo — Gabriel concordou.

— O Memorial da Maria Quitéria é o grande patrimônio desse lugar, e, como todo grande patrimônio, precisa de protetores. Há dois anos, nós três soubemos da lenda por um grupo de alunos do 9º ano. Como vocês, decidimos investigar, e enfrentamos os mesmos desafios. No final, quando conseguimos sair, o grupo de alunos estava aqui e nos explicou que essa é uma tradição: quando estão prestes a se formar, os protetores devem buscar novos alunos para repassar o cargo. Mas só podemos fazer isso com quem desvendar todos os mistérios do memorial.

— E nós, como protetores, devemos guardar os tesouros de Maria Quitéria, uma mulher tão importante para o nosso país — Felipe completou.

— Mas... — Meus olhos se arregalaram ao encarar os fatos. — Se forem demolir a escola, como vamos proteger o memorial?

Os três se entreolharam, e era evidente a tristeza em seus rostos.

— Ainda não sabemos o que fazer — Duda disse, fitando o chão.

— Precisamos lutar mais para impedir que fechem a escola! — Comecei a agitar as mãos, afoita com as consequências ainda mais graves que o fechamento traria.

— É verdade, mas não temos muito tempo, e tudo o que fizemos até agora não serviu pra nada — Laís lamentou.

— Tem que haver um jeito! — Suspirei ao pensar naquela sala sendo demolida, levando embora todas as memórias de uma heroína tão corajosa.

— Vocês são os protetores agora, e a decisão sobre o que fazer será de vocês.

Mas estaremos juntos pra bolar um plano e ajudar no que precisarem.

Meu cérebro parou assim que Duda terminou a primeira frase. Aquilo era algo sério. O cargo de "protetores" era real, e agora pertencia a nós dois. Quando eu poderia imaginar que uma brincadeira nos levaria a algo tão grande?

– O mais importante é não deixar que a memória de Maria Quitéria morra junto com a escola – Laís completou.

– Nós não vamos deixar – falei, decidida, e encarei Gabriel.

– Não mesmo – ele assentiu, tão seguro quanto eu.

Tínhamos acabado de receber a maior das missões Juliel. Seria mais complicado do que descobrir os mistérios da heroína e sair da sala: agora, precisávamos proteger o Memorial Secreto.

– Acho que vocês deveriam ir pra porta da escola agora. Suas famílias, os professores, todos estão procurando por vocês.

Ouvir aquilo foi como colocar os pés no chão depois de uma longa volta numa montanha-russa. Precisávamos retornar à realidade.

CAPÍTULO 22

Gabriel

DE TODAS AS BIZARRICES que já tinha visto, aquela era, sem dúvida, a maior de todas.

Não havia nenhuma câmera nos observando dentro da Sala Secreta, mas o trio da 901 sabia que estávamos lá. Ficaram esperando por nós na saída do túnel. No final das contas, a lenda não era uma mentira, como eu acreditava. Era mais do que real, e muito importante!

Se antes tínhamos aquela brincadeira de Juliel, uma duplinha inventada na infância, agora Júlia e eu éramos os verdadeiros protetores do memorial de uma heroína brasileira! E tínhamos apenas 12 anos!

O engraçado era que, momentos antes, estávamos arrependidos de termos nos metido naquela loucura, mas agora que havíamos entendido tudo, só sabíamos sentir orgulho da nossa nova missão.

– São eles! – escutei minha avó quando nos aproximamos do portão da escola.

Havia um aglomerado enorme de gente: Humberto, Rosana, Douglas, Terezinha, os pais e os irmãos de Júli, vó Lúcia, minha tia, nossos colegas de turma e de outras salas e mais um bocado de gente que eu não conhecia, mas imaginei que fossem outros pais e moradores da vizinhança.

Todos começaram a gritar e a agradecer quando aparecemos, e meu corpo gelou. O que iríamos dizer? A verdade estava fora de cogitação.

— Júlia! — A mãe dela gritou de emoção, abraçando-a forte. Pela expressão da minha amiga, pude ver que talvez "forte" não fosse um adjetivo suficiente para aquele abraço.

— Oh, Gabriel, meu filho! Como você faz isso com a sua pobre vó? — Seus olhos se encheram de lágrimas enquanto ela passava a mão pelo meu rosto.

— Onde vocês estavam? — perguntou Rosana, colocando as mãos na cintura e fazendo aquela cara séria e interrogativa que só as supervisoras sabem fazer.

Júli e eu nos encaramos desesperados ao perceber que não tínhamos um plano. Vi que algumas pessoas gravavam no celular o que se passava ali, e tive vontade de cavar um buraco para me esconder.

— Olha só — começou minha amiga, erguendo um dedo, e torci para que tivesse alguma ideia. — Queria aproveitar que tem tanta gente reunida aqui e dizer que vocês não podem deixar que essa escola seja fechada! — Ela foi aumentando a voz, e percebi que toda a emoção que estávamos nos esforçando para controlar começava a querer explodir. — Vocês têm alguma noção de quem foi Maria Quitéria? Não? Nem eu tinha, mas a feira de História serviu para que, depois de anos estudando aqui, eu finalmente conhecesse a vida dessa verdadeira heroína do Brasil! E agora esse lugar, que carrega uma história tão forte, está prestes a vir abaixo! ISSO NÃO PODE ACONTECER! — A testa de Júli foi se enrugando até que lágrimas começaram a escorrer pelo seu rosto. — Se hoje somos um país independente, é porque vários lutaram para defender nossa pátria! Devemos gratidão à Maria Quitéria e não podemos permitir que derrubem a escola dela assim! Vocês não podem deixar a escola fechar!

Os alunos ao redor começaram a aplaudir, e, de repente, começaram um coro forte e alto:

— Não fecha, não fecha!

Quando dei por mim, estava todo mundo gritando as palavras de ordem com entusiasmo, e por um segundo acreditei que aquilo seria o bastante para salvarmos a escola e o memorial.

Mas logo Humberto se enfureceu com o protesto e começou a nos dispersar.

— Júlia Castro e Gabriel Silva, quero os dois na minha sala, já! — Rosana falou muito brava, e nós a seguimos.

— O que vamos dizer? — sussurrei no ouvido de Júli quando percebi a encrenca em que havíamos nos metido.

— Tô tentando pensar! — ela mordeu os lábios, aflita, e não tivemos muito tempo até chegar à sala da supervisora.

— Eu não acredito que confiei em vocês quando me disseram que não iam se meter em confusão! E vejam só isso! No que vocês estavam pensando para sumir desse jeito?

Rosana estava transtornada; eu nunca a tinha visto tão nervosa quanto naquele momento. Tentei me colocar no lugar dela, e realmente não devia ser fácil ter dois alunos desaparecidos. Ao mesmo tempo, eu não sabia o que dizer a ela.

Júli e eu nos encaramos outra vez, e tive a sensação de ter uma conversa telepática com minha amiga.

Será que a gente conta?, eu gritava mentalmente, erguendo as sobrancelhas.

Acho melhor contarmos, sim, foi o que entendi quando ela balançou a cabeça.

— Rosana, você confiou na gente quando contou que tem agido de forma oculta pra salvar a escola. Agora, nós também vamos confiar em você — Júli disse pausadamente, e pude sentir que ela ainda não tinha certeza se aquilo era o melhor a ser feito.

— Júlia, não seria melhor a gente conversar com o trio da 901 antes? — perguntei, mordendo o lábio.

— Eles disseram que nós somos os protetores agora, certo? Então, a decisão é nossa.

— Vocês podem tratar de me explicar logo? — Rosana colocou a mão na cintura, impaciente.

— Você já ouviu sobre a lenda da Sala Secreta? — Júli foi direto ao assunto.

— Lenda? Vocês estão brincando comigo pra se safar de uma punição?

— Não, é sério! Existe a lenda de que a escola tem uma Sala Secreta e que a sala 7 dá acesso a ela. Ouvimos três alunos da 901 contarem essa lenda na feira de História e decidimos ir atrás disso. Você lembra quando nos pegou depois do recreio? Estávamos buscando um jeito de entrar na sala 7. Depois de muito tentar, conseguimos o chaveiro de dona Vicentina e entramos...

— Vocês pegaram o chaveiro da Vicentina pra entrar na sala 7? — Ela se alarmou.

— Sim — Júli disse, envergonhada, e eu mal conseguia encarar Rosana diante de toda aquela narração. — No início, não vimos nada de mais; parecia que a sala 7 era só um lugar pra guardar coisas velhas da escola. Até que...

Júli parou de falar e me encarou, como se não tivesse coragem de continuar sozinha.

— Até que...? — Rosana instigou, impaciente.

Minha amiga voltou aos fatos quando viu que eu não teria coragem de completar.

— Até que encontramos uma escada que dava acesso a uma espécie de porão. Depois de seguirmos um labirinto, encontramos a tal Sala Secreta! Tem uma decoração antiga e várias coisas de Maria Quitéria.

Rosana semicerrava os olhos a cada declaração de Júli, mas minha amiga não se deixou intimidar: ela seguiu contando detalhe por detalhe do que havíamos vivido. Quando terminou, chegando ao que tinha acontecido minutos antes, ela parou e revezou o olhar entre mim e Rosana.

– Eu nunca ouvi uma história tão absurda em toda minha vida! – ralhou a supervisora. – Vocês devem ter feito algo de muito errado para inventar isso! Francamente, Júlia Castro! Você espera mesmo que eu acredite em uma lenda?

– Nós podemos te mostrar – tomei coragem para dizer. – Vem com a gente.

Rosana ficou alguns segundos pensando se deveria mesmo, mas por fim nos seguiu até a sala 7, que estava entreaberta e com o chaveiro de dona Vicentina do lado de fora da fechadura. Ela parecia ressabiada, mas se desarmou quando mostramos a escada, atravessamos o labirinto e a guiamos até a Sala Secreta.

– Oh! – Foi o máximo que conseguiu dizer, levando a mão à boca.

– Olha isso, Rosana! É a carta de Dom Pedro! Tem também o saiote de Maria Quitéria, a espada, os jornais da época, livros antigos... É um memorial de verdade!

– Minha nossa! Trabalho aqui há tantos anos e nunca soube disso!

– A tradição é que alguns alunos do Maria Quitéria se tornem protetores do memorial, e, quando chegam ao 9º ano, passem o bastão para outros alunos. Duda, Laís e Felipe eram os protetores, e agora essa responsabilidade está nas nossas mãos. Estamos te contando isso porque não podemos deixar a escola ser demolida com um tesouro desses dentro!

— Vocês têm toda a razão! — ela balançou a cabeça, concordando. — Tenho amigos historiadores que trabalham em museus e que podem nos ajudar a verificar a autenticidade desses objetos. Podemos usar o memorial como uma forma de pressionar a prefeitura a não fechar a escola! Minha nossa, isso é um verdadeiro tesouro!

Um sorriso se alastrou pelo rosto de Rosana, e fomos imediatamente contagiados. Vi que Júli tinha tomado a decisão certa de contar tudo para a nossa supervisora, que se mostrava uma verdadeira aliada.

— Escutem, meninos, não contem a mais ninguém o que acharam aqui. Humberto não pode saber disso de jeito nenhum! Vou encontrar a melhor solução para a escola e para o memorial, tá bom?

— Obrigada, Rosana!

Abraçamos a supervisora e fomos juntos em direção ao pátio. Estranhando nossa empolgação, Humberto se aproximou.

— Posso saber o que está acontecendo? Onde os dois estiveram desde o fim da aula?

— Pode ficar tranquilo, Humberto, já dei ocorrência a esses dois. E olha só, não quero mais saber de confusão envolvendo vocês, ou serei obrigada a tomar medidas drásticas! — Rosana voltou a falar com braveza.

— É isso mesmo — Humberto apoiou, com aquele ar superior. — Agora vão logo, que as famílias de vocês estão esperando.

Júli e eu seguimos sem emitir qualquer som. Quando olhamos para trás, Rosana deu uma piscadinha para nós.

— Nós vamos conseguir, vai dar tudo certo — Júli sussurrou, e eu me enchi de esperança.

CAPÍTULO 23

Júlia

O FIM DE SEMANA acabou sendo uma verdadeira tortura. Gabriel e eu tínhamos decidido guardar segredo de nossas famílias até Rosana decidir o que fazer, e, por isso, meus pais pensaram que eu tinha aprontado na escola. No fim, Gabriel e eu acabamos de castigo.

Com toda a confusão da Sala Secreta, esqueci de pegar um livro novo na biblioteca. Sem internet e, consequentemente, sem minha série preferida, minhas opções de distração eram quase zero.

Como eu já esperava, minha mãe não aliviou meu castigo. Não que eu tivesse qualquer esperança; ela sempre foi muito firme nas decisões, mas, daquela vez, sentia que não tinha sido um castigo justo porque não tínhamos feito nada de errado. Tudo bem, a gente tinha usado o chaveiro e entrado em um lugar sem permissão, mas não matamos aula e ainda descobrimos algo extraordinário!

Só que esse era o preço do segredo. Preservar o sigilo do memorial significava sofrer consequências injustas.

Passei grande parte do fim de semana tentando pensar em como Rosana impediria a escola de fechar e se havia algum jeito de ajudá-la. Depois de conhecer as histórias das heroínas brasileiras, fiquei inspirada a encontrar uma solução para o nosso problema. Não era como lutar na guerra ou algo assim, mas manter a escola aberta era a *minha* batalha.

— Ô, Júlia! — minha mãe gritou do portão, em plena tarde de domingo, enquanto eu tentava me distrair relendo um livro. Ela chamou mais uma vez, prolongando a última letra e aumentando o tom da voz. — Júliaaaa!

Saí correndo quando percebi a urgência.

— Oi!

— Você viu isso que a Elisete tá mostrando? — Mamãe esticou o braço para afastar o celular da vizinha e acertou os óculos para enxergar melhor.

Inicialmente, imaginei que fosse algum problema de funcionamento do celular que elas queriam que eu resolvesse. Minha mãe tinha a impressão de que eu era a própria técnica de manutenção de eletrônicos.

Fui ver o que era com um pouco de preguiça, não nego, mas o vídeo que estava sendo reproduzido foi o bastante para capturar minha atenção.

— Sou eu?! — perguntei, chocada.

Quando minha mãe me passou o telefone, pude entender melhor. Na sexta-feira, logo depois que saímos da Sala Secreta, alguém gravou meu discurso sobre não deixar fecharem a escola.

O pior era que a pessoa não só tinha gravado, mas também postado nas redes sociais. E mais! A legenda dizia que Gabriel e eu tínhamos desaparecido para protestar contra o fechamento da Escola Municipal Maria Quitéria de Jesus.

— Ai, meu Deus! — Meu queixo caiu quando vi a cereja do bolo: o vídeo tinha milhares de visualizações e compartilhamentos.

Nos comentários, várias pessoas parabenizavam minhas palavras e diziam que era um absurdo fecharem uma escola, enquanto outras diziam que eu não tinha o que fazer. Ri de alguns comentários críticos meio nada a ver, mas fiquei feliz por perceber que muita gente estava me apoiando.

– Quem foi que botou isso aí? – minha mãe perguntou, preocupada.

– Não sei, Bel, mas já recebi esse vídeo de umas dez pessoas diferentes, fora os que compartilharam nos próprios perfis.

– Eu tô famosa? – brinquei.

– Ah, pronto! – Minha mãe bateu a mão na perna. – Escolheram a pessoa errada. Júlia, aparecida do jeito que é...

– Eu tô zoando, mãe! – garanti, rindo. – Você pode devolver meu telefone rapidinho pra eu falar com o Gabriel?

Juntei as duas mãos, tentando fazer minha melhor cara de boazinha.

– Não. – Ela balançou a cabeça sem a menor cerimônia. – Castigo é castigo. Amanhã vocês vão ter muito tempo pra conversar! – Ela tirou os óculos e se virou para a vizinha: – Não tem como apagar esse negócio aí não, Elisete? Júlia é muito nova pra ficar aparecendo assim.

– Vixe, Bel, tem jeito não. Caiu na internet, já era...

– Eu espero que todo mundo veja essa injustiça! – comemorei, batendo palmas.

– Olha aí, Zete! – Minha mãe colocou a mão na testa. – Passei a vida ensinando essa menina a lutar pelo que ela acha certo, e agora o feitiço virou contra a feiticeira! Vou ter que aguentar essa rebelde dentro de casa.

Mesmo que sua expressão estivesse séria, dava pra perceber o tom zombeteiro.

– A culpa é sua! – Apontei para ela, rindo, e voltei minha atenção para o celular.

O vídeo era rápido. No início, tinha a minha fala emocionada, e depois os gritos dos outros alunos. Eu tinha ficado arrepiada naquele momento, e acabei ficando de novo.

Depois que a vizinha foi embora, levando com ela meu único acesso à internet no fim de semana, minha vontade era a de fazer uma mágica para o dia seguinte chegar logo. Precisava conversar com Gabriel e com o trio da 901. Quem sabe uma campanha nas redes sociais não poderia nos ajudar?

A esperança começou a surgir em mim como borbulhas em água fervente. Salvar a escola, agora, também significava salvar o memorial, e era essa a nossa nova tarefa.

No primeiro bocejo que dei, corri para a cama. Mesmo que ainda não fosse a hora em que costumava dormir, me esforcei ao máximo para cair no sono e fazer com que a segunda-feira chegasse logo. Nunca pensei que fosse ansiar tanto pelo pior dia da semana!

———

Na manhã de segunda, tomei café mais rápido do que nunca e saí em disparada para a escola. As ruas pareceram mais longas que o normal, e em algum momento tive certeza de que tinham colocado alguns quarteirões a mais entre a minha casa e a escola.

Quando finalmente avistei a famosa placa de "bem-vindos" e os portões azuis, suspirei aliviada.

— Júlia! — Gabriel gritou atrás de mim, e parei para esperá-lo.

— Oi! Como foi o fim de semana? Sua avó manteve o castigo também?

— Infelizmente, sim. — Ele revirou os olhos.

— Então, imagino que não esteja sabendo da última.

— O que foi?

— Minha vizinha chegou lá em casa me mostrando um vídeo que tá circulando na internet. E sabe quem está nesse vídeo?

— Quem? — Ele virou a cabeça para o lado, sem saber aonde eu queria chegar.

— Eu! Alguém gravou o que eu disse aqui na porta e espalhou pela internet! Muita gente apoiou nossa tentativa de manter a escola de pé, o que me deu a ideia de fazermos uma campanha virtual pra salvar o Maria Quitéria!

— Uau! Bem que eu vi mesmo que tinha gente gravando com o celular, mas nunca imaginei que postariam na internet, muito menos que faria sucesso! — Gabriel estava impressionado. — Vamos nos reunir com o trio da 901 e tentar criar um plano de ação.

— Ótimo! — concordei.

Quando alcançamos o portão azul, o rabugento do diretor Humberto não estava lá para encher o saco, e agradeci por não ter tido o desprazer de vê-lo tão cedo.

Gabriel e eu seguimos em direção à nossa sala, mas dona Vicentina, que parecia muito bem de saúde, estava plantada logo no início da escada, nos impedindo de subir.

— Não é pra ninguém ir pra sala! — ela falou para um grupo de alunos que, como nós, tinha a intenção de subir. — Rosana mandou todo mundo ir pra quadra. Ela tem um recado pra dar.

Dona Vicentina repetiu a instrução várias vezes para os colegas que iam chegando e, pouco depois, todo o turno da manhã estava reunido na quadra de esportes sem entender nada.

A caixa de som e o microfone estavam organizados na arquibancada, e percebi que a coisa era séria quando vi todos os funcionários juntos.

O burburinho entre os alunos só aumentava, e não era preciso ser vidente para saber que a maioria das pessoas se perguntava o que estava acontecendo.

— Bom dia — Rosana falou ao microfone, e todos devolveram o cumprimento.

A facilidade da supervisora em conseguir o silêncio daquela quantidade de alunos foi um sinal claro da curiosidade de todo mundo.

— Espero que tenham tido um excelente fim de semana — disse ela, com um sorriso contido. — Bom, como vocês sabem, nenhum de nós queria o fechamento da Escola Municipal Maria Quitéria de Jesus. — Ela apontou para o grupo de funcionários ao seu lado.

Procurei o diretor Humberto só para ver sua cara de pau, já que ele parecia não ter sentimentos, mas não o encontrei por ali.

— Também sei que cada um de vocês tem uma história especial do lado de dentro dos portões azuis. São décadas de Maria Quitéria, e muito conhecimento foi edificado aqui.

Cerrei o maxilar e desviei os olhos, tentando encontrar outro foco. As palavras de Rosana não traziam um sentimento muito bom, especialmente quando eu pensava que novembro já estava quase no fim. Logo viriam as férias e, junto com elas, o fim da escola e do memorial.

— Por isso, gostaria de parabenizar cada atitude que tiveram para tentar defender esse lugar. Vocês mostraram que gostam muito mais daqui do que eu poderia imaginar!

Ao meu lado, um menino deixou algumas lágrimas escorrerem, e o sentimento de velório se espalhou como um vírus. Só ao meu redor já eram quatro chorando com a fala de Rosana.

— Em especial, gostaria de agradecer a uma aluna muito danada que temos — ela continuou, soltando uma risada.

— Júlia Castro, que esteve à frente de abaixo-assinados, protestos, e ainda fez um belíssimo discurso na última sexta-feira, relembrando a memória da grande heroína que deu nome a esta instituição.

Os olhares se concentraram em mim, e meu coração começou a bater como os tambores de uma escola de samba no auge do Carnaval.

Jamais poderia prever um elogio da supervisora, ainda mais na frente de tantas pessoas.

— Além disso, ela e o Gabriel Silva encontraram um tesouro muito valioso enterrado nessa escola. Um tesouro que há anos vem sido protegido por alunos preocupados com a memória de nossa heroína Maria Quitéria! Um amigo historiador confirmou a autenticidade de tudo o que foi encontrado e ficou tão admirado com os objetos que decidiu abrir uma sala no museu onde trabalha em homenagem a Maria Quitéria! O memorial ficará

aberto à visitação dos alunos e da comunidade aqui na escola até o fim do ano e depois irá para um museu! Dessa forma, ele estará sempre preservado em um lugar onde todos possam vê-lo e conhecer a história de uma heroína tão importante. Se os protetores do memorial assim o permitirem, é claro!

Os olhos de Rosana nos encontraram em meio à multidão de alunos, e Gabriel e eu sorrimos.

Seria demais ver aquela sala em um lugar público, protegido e aberto à visitação para quem quisesse conhecê-lo! O conhecimento alcançaria mais gente em vez de ficar escondido no porão da escola! Quem sabe o amigo de Rosana não conseguisse manter os mistérios, deixando a sala interativa, de algum modo? Ai, meu Deus, minha cabeça não conseguia parar de pensar sobre o futuro do memorial!

– E essa não foi a única conquista que a Júlia possibilitou! – Rosana continuou. – Com o discurso que fez na porta da escola, ela permitiu que milhares de pessoas soubessem, pela internet, do triste fim do Maria Quitéria, o que criou uma rede de apoio à nossa causa. Vocês sabem melhor do que nós, adultos, como funciona o meio virtual, e o apoio das pessoas fez uma pressão enorme sobre a prefeitura para explicar o motivo do fechamento. Os milhares de comentários e a manifestação que vocês fizeram naquele dia aceleraram o processo, revelando várias irregularidades que Humberto vinha cometendo ao repassar informações à prefeitura. Isso significa que a decisão de fechar a escola havia sido tomada por culpa da irresponsabilidade do ex-diretor, e, com essa descoberta, eles voltaram atrás.

Uma série de "oh!" foi emitida pelos alunos, mas nem isso consegui fazer. Eu estava paralisada, incapaz de esboçar qualquer reação até que Rosana terminasse seu discurso.

— É com muita alegria que informo a vocês que a luta valeu a pena, e a Escola Municipal Maria Quitéria de Jesus permanecerá aberta!

A quadra explodiu em palmas e muita gritaria. Os alunos começaram a se abraçar, pular e chorar, e, mesmo vendo tudo de perto, eu tinha a impressão de estar em um filme, na parte em que a cena se passa em câmera lenta.

Meus colegas estavam ali, comemorando as notícias da Rosana e, ainda assim, meu cérebro não conseguia juntar os fatos.

— Júlia! — Gabriel gritou e veio correndo me abraçar. — Eu não acredito no que você fez!

— Você jura que não estamos sonhando? — Coloquei a mão em seus ombros quando nos afastamos e olhei fixamente em seus olhos. — Você jura?

— Maria Quitéria vai ter que nos aguentar por muito tempo ainda! — ele gritou em resposta.

— Ahhhh!!! — berrei quando a ficha caiu.

Tínhamos conseguido!

— Eu sabia que os novos protetores não nos decepcionariam! — Duda se aproximou e abraçou nós dois ao mesmo tempo, sendo seguida por Felipe e Laís. — Júlia, você foi demais! Salvou a escola e encontrou um lugar ainda melhor para o memorial, onde mais pessoas vão ter acesso à história de Maria Quitéria!

— Obrigada, mas eu não fiz isso sozinha. — Olhei para meu amigo de lado, que sorriu em resposta.

— Vocês dois foram incríveis! — Laís bateu palmas.

— Muito! — Felipe completou, e os três se despediram para comemorar com outros colegas.

Encarei Gabriel mais uma vez e sorri quando ele passou as mãos no cabelo *black power*, extasiado.

— Obrigada por ter entrado em toda essa aventura comigo, Gabriel, e obrigada por ser um melhor amigo tão especial!

— Eu que preciso te agradecer, Júli! Você é a melhor amiga que eu poderia pedir, e essa foi a melhor missão com que poderíamos sonhar!

— Mas isso só aconteceu porque nós somos...

Fechei o punho e estiquei o braço, esperando que ele pegasse a deixa.

— *Juliel: prontos pra arrasar!* – gritamos em coro, caindo na gargalhada.

Aquela semana tinha mudado nossas vidas para sempre. Não sabíamos o que o futuro reservava para nós dois, mas uma coisa era certa: nossas aventuras estavam apenas começando!

Agradecimentos

É INACREDITÁVEL que mais um livro tenha ganhado o mundo! Preciso agradecer aos "meus meninos" (como carinhosamente chamo meus leitores): o gás que me dão a cada visita escolar, evento e interação nas redes é a parte mais importante do meu trabalho. Aos professores, bibliotecários e todos os funcionários das centenas de instituições onde já estive, obrigada por tanto amor!

Obrigada, mami e papi, por serem a base sólida onde posso me sustentar. Às famílias Rocha e Ferreira, por todo apoio! À melhor madrinha possível, tia Simone; ao Rafa, que me levou em uma sala de escape, onde surgiu a primeira ideia para o livro; e ao presente deles pra mim: Ceci, dinda te ama! Ao meu amor, Lucas Bettoni, pela parceria incrível.

À Página 7 e à Taissa Reis, por cuidarem da minha carreira com carinho. Ao Grupo Autêntica, por acreditar no meu trabalho. Às minhas leitoras-beta-perfeitas: Lorena Rocha, Mariana Cardoso e Clarice Guimarães, pela empolgação com as minhas histórias. À Laura Pohl, pela ajuda singular. Aos meus amigos: nem sei o que seria de mim sem esse apoio incondicional; ABBA, Betinas, QRI e grupo da Metal. Ao Quilombinho, Lorrane Fortunato, Olívia Pilar e Solaine Chioro, por criarem um espaço seguro, de resistência ~~e afrofofocas~~ e risadas, vocês entendem o que é ser escritora negra no Brasil e me dão força para seguir. A todos os escritores, blogueiros e apoiadores da literatura nacional, em especial Iris Figueiredo, Sérgio Motta, Maria Ferreira e Laila e Letícia Pimenta!

Com amor,
Lavínia Rocha.

Este livro foi composto com tipografia Adobe Garamond
e impresso em papel Off-White 80 g/m² na Formato Artes Gráficas.